Cuaderno de ejercicios nivel 4

Óscar Cerrolaza Gili

GRUPO DIDASCALIA, S.A.
Plaza Ciudad de Salta, 3 - 28043 MADRID - (ESPAÑA)
TEL.: (34) 914.165.511 - (34) 915.106.710
FAX: (34) 914.165.411
e-mail: edelsa@edelsa.es - www.edelsa.es

Primera edición: 2004
Primera reimpresión: 2005
Segunda reimpresión: 2008
Tercera reimpresión: 2011
Cuarta reimpresión: 2013
Quinta reimpresión: 2015
Sexta reimpresión: 2016

Autor: Óscar Cerrolaza Gili

Dirección y coordinación editorial: Departamento de Edición de Edelsa
Diseño de cubierta: Departamento de Imagen de Edelsa
Maquetación y fotocomposición: Cuatricomía

Imprenta: Liber Digital, S.L.
ISBN: 978-84-7711-803-9
Depósito legal: M-28603-2011
Impreso en España
Printed in Spain

Fuentes, créditos y agradecimientos

Ilustraciones:
Ángeles Peinador Arbiza.

Fotografías:
Archivo y Depto. de Imagen de Edelsa.
Flat Earth.

Notas:

– La editorial Edelsa ha solicitado los permisos de reproducción correspondientes y da las gracias a quienes han prestado su colaboración.

Índice

Este libro está organizado en 3 ámbitos que corresponden a los tres primeros del Libro del Alumno. Cada ámbito consta de dos unidades y de tres contextos.

- Cada una de las unidades tiene dos lecciones (con los contenidos gramaticales correspondientes a las lecciones del Libro del Alumno). Estos contenidos se presentan en una doble página, con el cuadro de explicación, los ejercicios y una sección de Inter-acción, práctica oral del contenido gramatical.
- Los contextos presentan textos para el desarrollo de la comprensión lectora a través de preguntas. Los textos presentan ejemplos de los contenidos gramaticales tratados en las lecciones.

Unidad 1

LECCIÓN 1

Verbos de cambio	
CONVERTIRSE EN: Indica un cambio radical, de un extremo al otro, y repentino.	*Mira, este gusano* ***se ha convertido en una mariposa****.*
HACERSE: Indica un cambio definitivo de una persona como resultado de la evolución natural.	*Estudió mucho en el instituto, así sacó una buena nota en selectividad y pudo estudiar lo que quiso y, al final* ***se hizo abogado****.*
LLEGAR A SER: Indica siempre un cambio positivo, resultado de un esfuerzo.	*Pues yo quiero* ***llegar a ser un buen médico****, como mi padre.*
PONERSE: Indica un cambio temporal en el estado anímico o en la salud.	*Yo siempre* ***me pongo nervioso*** *cuando tengo un examen.*
QUEDARSE: Indica un estado resultado de una situación.	*Como estaba muy cansado,* ***se quedo dormido*** *en el cine.*
VOLVERSE: Indica una transformación de una cualidad a otra.	*Antes era una persona muy tímida, pero desde que cumplió los 17* ***se ha vuelto muy sociable y abierto****.*

1 **Relaciona las expresiones con el verbo de cambio. Hay tres expresiones por cada verbo.**

a. Budista, antes era católico. → CONVERTIRSE EN
b. Colorado.
c. Dormido.
d. El mejor estudiante de su escuela.
e. El presidente de su país.
f. Frío por estar tantas horas en el parque sin jersey.
g. Informático.
h. Una mujer madura.
i. Más reflexivo, antes era muy impetuoso.
j. Muy contento cuando le han dado las notas.
k. Muy desordenado. Antes no era así.
l. Muy hablador, ¡con lo callado que era!
m. Muy nervioso por el examen.
n. Mudo del susto.
ñ. El deportista más premiado de su generación.
o. Un hombre responsable.
p. Una persona extraña.
q. Vegetariano.

CONVERTIRSE EN

HACERSE

LLEGAR A SER

PONERSE

QUEDARSE

VOLVERSE

notas

2 **Elige la opción adecuada.**

a. Manuel se ha convertido / hecho en mi peor enemigo, siempre nos estamos peleando.
b. Mis profesores decían que no iba a volverme / llegar a ser nada en la vida, y mira, estoy a punto de empezar la universidad.
c. Se puso / quedó tan nervioso que el profesor le dejó salir del examen unos minutos para relajarse.
d. Cuando vi que nos iban a comprar ese videojuego, me puse / quedé mudo.
e. Dice mi abuela que me he convertido / vuelto en una mujer, que ya no soy una niña.

Inter-acción

1 **¿Quieres llegar a ser presidente de tu país? Participa en este foro y entérate.**

a. Lee las intervenciones de los participantes y marca los verbos de cambio que veas.
b. Selecciona las dos intervenciones con las que estás más de acuerdo.
c. Escribe tu propia entrada en este foro.
d. Intercambia tus ideas con las de tus compañeros.

edelsa.es

Atrás · Adelante · Detener · Actualizar · Página principal · Autorrelleno · Imprimir · Correo

Dirección: Adaptado de www.comopuedollegaraserpresidentedelgobierno.com/foro.asp › Ir

Miembro del foro	Opinión	Vistas
Jesús	Para llegar a ser presidente del gobierno lo primero que hay que hacer es volverse frío, para que no te afecten las críticas.	2
Ana	Si quieres ser presidente, tienes que convertirte en un mentiroso, para salir de una mentira con otra mejor.	1
Daniel	El secreto es trabajar mucho, hacerse imprescindible, hacerse un buen amigo de todos.	10
Sara	Tan sencillo como volverse un charlatán y no hacer ni caso al pueblo...	8
Sebastián	Hola gente, soy Sebastián, de Buenos Aires, Argentina. Encontré de casualidad esta página, porque tengo muchas ganas de ser presidente de mi país. Realmente no tengo idea de cómo hacerlo, porque ni siquiera me gusta la política. Imagino que lo primero es volverme político y convertirme en un líder.	27
Lorenzo	Tienes que ser muy torero para llegar a ser presidente del gobierno. Quedarte callado cuando la situación lo requiere, hablar como un loco cuando es preciso, ser tímido con los tímidos y volverse extrovertido con los expansivos. En fin, no ser nunca tú.	3
Carmen	Creo que las cosas se volverían mucho mejores si gobernara una mujer: ésta acabaría con muchos problemas sociales que bajo un gobierno de hombres nunca llegarán a solucionarse. Las mujeres piensan con la cabeza y sienten con el corazón.	65
Tú		

Expresar condiciones	
1. **Si la condición es posible:**	
	Presente: *Si no tengo deberes, hago deporte con mis amigos.*
Si + Presente	Futuro: *Esta tarde, si tengo tiempo, jugaré al fútbol.*
	Imperativo: *Si te apetece, llámame y juega con nosotros.*
2. **Si la condición es improbable o irreal:**	
Si + Imperfecto de Subjuntivo + Condicional simple: *Si pudiera, iría con vosotros.*	

1 Completa estas frases con el verbo en la forma adecuada.

1. Si ______ (tener) tiempo, iré a visitarte, abuela.
2. Si no tengo muchos deberes, ______ (ir) al gimnasio a practicar mi deporte favorito.
3. Te prometo que, si ______ (poder), cortaré la hierba del jardín.
4. Ven a verme si ______ (tener) tiempo, que estoy muy sola.
5. Si hoy no tienes deberes, ______ (venir) a jugar con nosotros.
6. Si pudiera, ______ (cortar) la hierba, pero hoy tengo muchas cosas que hacer.
7. De verdad, abuela, si ______ (poder), iría, pero mis padres no me dejan salir hoy.
8. Si termino pronto los deberes, ______ (ir) al gimnasio con mis amigos.
9. Normalmente, si no tengo otra cosa que hacer, ______ (ayudar) a mi padre en el jardín.
10. Los sábados me gusta ir a casa de mis abuelos si ______ (poder).
11. Si no ______ (tener) tantos deberes, ahora estaría jugando al fútbol.
12. ______ (Ayudar) a tu padre en el jardín si ya has terminado con tus deberes.

2 Clasifica las frases anteriores en este cuadro.

Acciones habituales	Promesas y planes futuros	Peticiones	Deseos imposibles o de difícil realización

3 Sigue la espiral.

No haber clase
estar con mis amigos
hacer planes
discutir entre nosotros
enfadarnos
no querer volver a estar juntos
preferir estar en clase
estar contentos en clase hoy

Si hoy no hubiera clase, estaría con mis amigos. Si estuviera con mis amigos, haríamos planes. Si hiciéramos planes...

notas

4 a. Relaciona las condiciones con las consecuencias y escribe las frases.

1. Quedarse en casa solo.
2. Ser fin de semana.
3. Hablar cuatro idiomas.
4. Vivir en otro país.
5. No tener clase de español.
6. Ser rico.
7. No haber exámenes.
8. Tener más tiempo.

a. Comprarme todos los caprichos.
b. Encontrar un buen trabajo.
c. Estudiarlo en otra escuela.
d. Hacer un curso de guitarra.
e. Hacer una fiesta en casa.
f. Ir al cine con amigos.
g. Ser fácil aprobar.
h. Tener que aprender sus costumbres.

Si hoy fuera fin de semana, me iría al cine con mis amigos.

b. Y tú, ¿qué harías si...? Completa las frases.

1. Si hoy fuera fin de semana
2.
3.
4.
5.
6.
7.
8.

Inter-acción

1 ¿Qué harías si pudieras cambiar algo de tu vida? Hoy es posible.
a. Lee estos tres trozos de tres canciones muy conocidas y responde a las preguntas.

A

Si pudiera ir a comprar a la tienda de los sueños con todo el poco dinero que hasta ahora pude ganar y si allí vendieran billetes para el tren de... "otra oportunidad", encargaría un "ticket" de ida a la estación perdida donde mi vida fue a descarrilar...

Los Suaves

B

Si pudiera borrar todo lo que yo fui, si pudiera olvidar todo lo que yo vi, no dudaría, no dudaría en volver a reír.

Antonio Flores

C

Si pudiera ser tu héroe, si pudiera ser tu Dios, que salvarte a ti mil veces puede ser mi salvación...

Enrique Iglesias

- ¿Cuál es más optimista?
- ¿En cuáles se arrepiente de todo lo que ha hecho?
- ¿Cuál es una canción de amor?
- ¿En cuál se reconoce que lo mejor es la alegría y reírse?

b. Ponle un título a cada trozo de canción.
c. Elige la que más te guste. ¿Cómo crees que continúa? Termina la canción.

2 ¿Qué cosas te gustaría cambiar de tu vida?
a. Haz una lista.
b. Compárala con la de tu compañero. ¿En cuántos cambios coincides?
c. ¿Qué harías si...? Escribe las condiciones de los cambios que te propones.

Unidad 1

Con & Texto

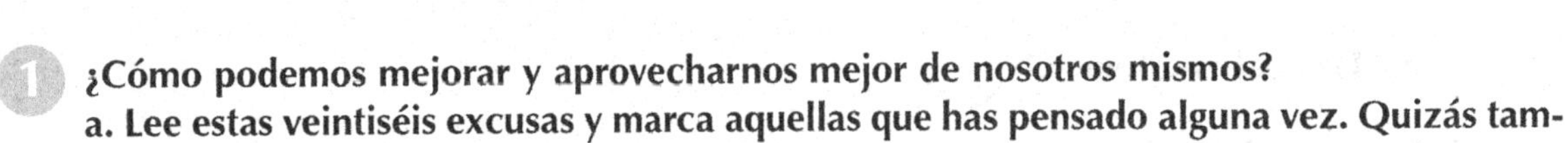

1 ¿Cómo podemos mejorar y aprovecharnos mejor de nosotros mismos?

a. Lee estas veintiséis excusas y marca aquellas que has pensado alguna vez. Quizás también recuerdas como terminabas la frase, complétalas.

LAS QUEJAS Y LA INDECISIÓN
veintiséis EXCUSAS FAMOSAS

1. Si tuviera dinero...
2. Si tuviera una buena educación...
3. Si pudiera conseguir un trabajo...
4. Si gozara de buena salud...
5. Si dispusiera de tiempo...
6. Si otras personas me comprendieran...
7. Si no tuviera miedo de lo que 'ellos' dicen...
8. Si ahora tuviera una oportunidad...
9. Si pudiera hacer lo que quisiera...
10. Si pudiera conocer a la 'gente adecuada'...
11. Si tuviera el talento que otros tienen...
12. Si la gente no me pusiera nervioso...
13. Si contara con alguien que me ayudara...
14. Si mi familia me comprendiera...
15. Si viviera en una gran ciudad...
16. Si sólo pudiera empezar...
17. Si fuera libre...
18. Si tuviera la personalidad de otros...
19. Si mi talento fuera conocido...
20. Si supiera cómo...
21. Si la gente no fuera tan insensible...
22. Si mi familia no fuera tan...
23. Si estuviera seguro de mí mismo...
24. Si no tuviera la suerte en contra...
25. Si viviera en un barrio diferente...
26. Si los demás me escucharan...

b. ¿Crees que es productivo hacerse estas preguntas? Ahora lee este texto. Después responde a las preguntas.

Las personas que no llegan a ser lo que quieren tienen un rasgo característico común: CONOCEN TODAS LAS RAZONES QUE EXPLICAN EL FRACASO, y disponen de lo que consideran que son toda clase de justificaciones para explicar su propia falta de logros. Algunas de esas justificaciones son inteligentes, y unas pocas de ellas se hallan incluso confirmadas por los hechos. Pero no se pueden utilizar excusas por no ser lo que se quiere. El mundo que nos rodea sólo quiere saber una cosa: ¿ha alcanzado usted el éxito?

Pero, si yo tuviera el valor de verme tal y como soy en realidad, DESCUBRIRÍA QUÉ ES LO QUE PASA CONMIGO, Y LO CORREGIRÍA. Entonces tendría la oportunidad de aprovechar mis propios errores, estaría donde debería estar, no me quedaría parado.

Encontrar excusas con las que explicar el fracaso es un pasatiempo nacional. El hábito se ha hecho tan viejo como el ser humano y se ha convertido en negativo para el éxito. ¿Por qué la gente se mantiene en sus excusas? La respuesta es evidente. Defienden sus excusas porque ellos mismos las crean. Toda excusa es hija de la propia imaginación. Y está en la naturaleza del hombre defender lo que es producto del propio cerebro.

Siempre ha sido un misterio para mí saber por qué la gente se pasa tanto tiempo engañándose a sí misma, creando excusas para justificar sus debilidades. Si ese tiempo se utilizara de un modo diferente, bastaría para curar la debilidad, y entonces no necesitaríamos de ninguna excusa.

Adaptado de http://www.inteligencia-emocional.org/articulos/lasquejasylaindecision.htm

notas

1. Resume en una frase la información principal de cada párrafo.
2. Localiza esta información. ¿Dónde la dice?
   a. Se pierde mucho tiempo pensando en por qué no se ha hecho algo. Ese tiempo se podría emplear en otras actividades mejores.
   b. La mayoría de las personas que se sienten fracasados se pasan la vida autojustificándose, como si el éxito o el fracaso no dependiera de ellos.
   c. En general, la mayoría de las excusas son falsas, creadas por la propia persona.
   d. Si nos analizáramos mejor, en vez de perder el tiempo, conoceríamos nuestros errores y podríamos aprender de ellos.

2 Según el texto para tener éxito hay que hacer tres cosas. ¿Cuáles son?

1.
2.
3.

3 ¿Qué opinas? Justifica tu respuesta

4 Haz este test para conocer tu actitud y mejorar tu rendimiento.

¿QUÉ GRADO DE ACTITUD POSITIVA TIENE USTED?

1. **Si tienes una idea que te parece muy interesante, ¿qué actitud tomas?**
   A. Necesitas que otras personas la aprueben.
   B. La revisas por los cuatro costados.
   C. Empiezas de inmediato a su ejecución.
   D. La dejas para otra oportunidad.
2. **Cuando tienes dificultades, ¿cómo reaccionas?**
   A. Sales corriendo.
   B. Te angustias.
   C. Te ves estimulado.
   D. Te mantienes sereno, y tomas distancia para reflexionar en busca de la solución.
3. **Si visualizas con la mente una pared en el camino, ¿qué piensas?**
   A. Te siente incapaz de seguir adelante.
   B. Piensas que se te va a caer encima.
   C. Piensas como rodearla y seguir adelante.
   D. Piensa en cómo tirarla abajo.
4. **¿Qué frase aplicarías ante las circunstancias de la vida?**
   A. 'Siempre que llovió, paró'.
   B. 'Todo lo bueno se termina'.
   C. 'Los sueños, sueños son'.
   D. 'Lo último que se pierde es la esperanza'.
5. **Un familiar o amigo te dijo que volvería a las 10, son las once y media y todavía no ha llegado. ¿Qué actitud tomas?**
   A. Piensas inmediatamente que le pasó algo y en cualquier momento llamas a la policía.
   B. Empiezas a preocuparse.
   C. Enumeras todas las razones comunes por las cuales puede llegar tarde.
   D. Te pones a mirar la televisión sin pensar en el asunto.
6. **Has discutido con una persona, que tienes que seguir viendo, y piensas:**
   A. 'Lo voy a mandar a...'
   B. 'Bien, ya pasó...'
   C. '¿Cómo es que no entiende que tengo toda la razón?'
   D. 'Voy a repasar toda la discusión. Debe haber puntos en los que puedo estar equivocado. Si es así, le pediré disculpas y olvidaremos todo el asunto'.

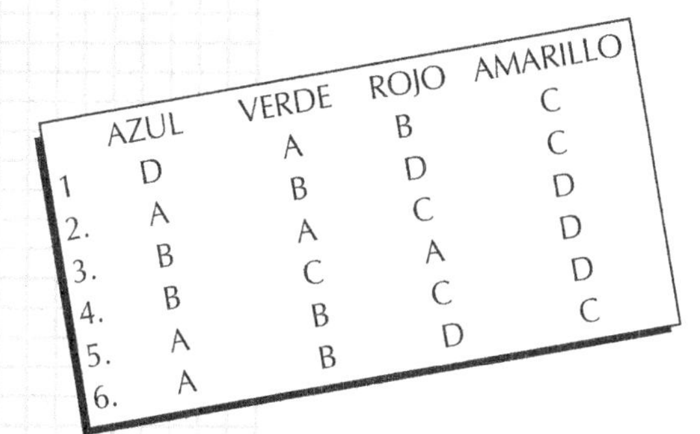

	AZUL	VERDE	ROJO	AMARILLO
1	D	A	B	C
2.	A	B	D	C
3.	B	A	C	D
4.	B	C	A	D
5.	A	B	C	D
6.	A	B	D	C

AZUL: Tienes gran tendencia al pesimismo. Es conveniente que revises un poco tus actitudes.

VERDE: Poca actitud positiva. Recuerda que todo puede verse bajo un ángulo más favorable, y eso puede dar ventajas.

ROJO: Buena actitud positiva, dotada de adecuada sensatez. No dejes de fortalecerla, siempre bajo el control de la lógica.

AMARILLO: Actitud positiva en grado superlativo, pero carente del equilibrio que dan el sentido de la prudencia y el ejercicio de la reflexión. Fortalece estas últimas cualidades, para compensar tanto optimismo.

Unidad 1

LECCIÓN 2

Indicar el momento en que empezó una actividad		
Reconstruir una fecha	**Hace** + *cantidad de tiempo* (**que**)	***Hace*** *cuatro años* ***que*** *empecé a estudiar español.*
Indicar el punto de partida	**Desde** + *fecha / acontecimiento*	*Estudio español* ***desde*** *2001.* *Estudio español* ***desde*** *el viaje a México.*
	Desde hace + *cantidad de tiempo*	***Desde hace*** *cuatro años estudio español.*
Indicar el principio y el final	**Desde** + *fecha...* **hasta** + *fecha...* **De** + *fecha...* **a** + *fecha...*	*Estuve en México* ***desde*** *septiembre* ***hasta*** *diciembre.*

1 **Transforma las frases como en el ejemplo.**

1. Estudio español desde hace tres años.
   Hace tres años que estudio español.
2. Vivo en esta ciudad desde hace poco tiempo.
3. Hace dos días que estoy esperando la nota del examen y hoy me la han dado. ¡He aprobado!
4. Hace un par de meses que salgo con una persona estupenda.
5. No he vuelto a participar en un concurso desde hace dos años, cuando gané el primer premio.
6. No sé nada de Juan desde hace tres días. ¿Estará enfermo?
7. Hace media hora que te espero. ¿Por qué te has retrasado?
8. Juega al tenis desde hace ya cinco años, y juega muy bien.
9. Hace tres años que estudio en este instituto.
10. Estamos organizando un viaje de fin de curso desde hace unos meses.

2 **Reconstruye las fechas. Escribe el día, el año o la hora que se indica.**

1. Hace catorce meses: En
2. Hace dos días: El
3. Hace un año: En
4. Hace cinco minutos: A las
5. Hace tres horas: A las

notas

3 **Ahora transforma los datos con *hace*:**

1. A las ocho de la mañana: Hace
2. En enero:
3. En 1998:
4. A las 10 de la noche:
5. En 1999:

Inter-acción

1 **¿Eres una persona aventurera? ¿Te gusta el riesgo?**

a. Lee este texto.

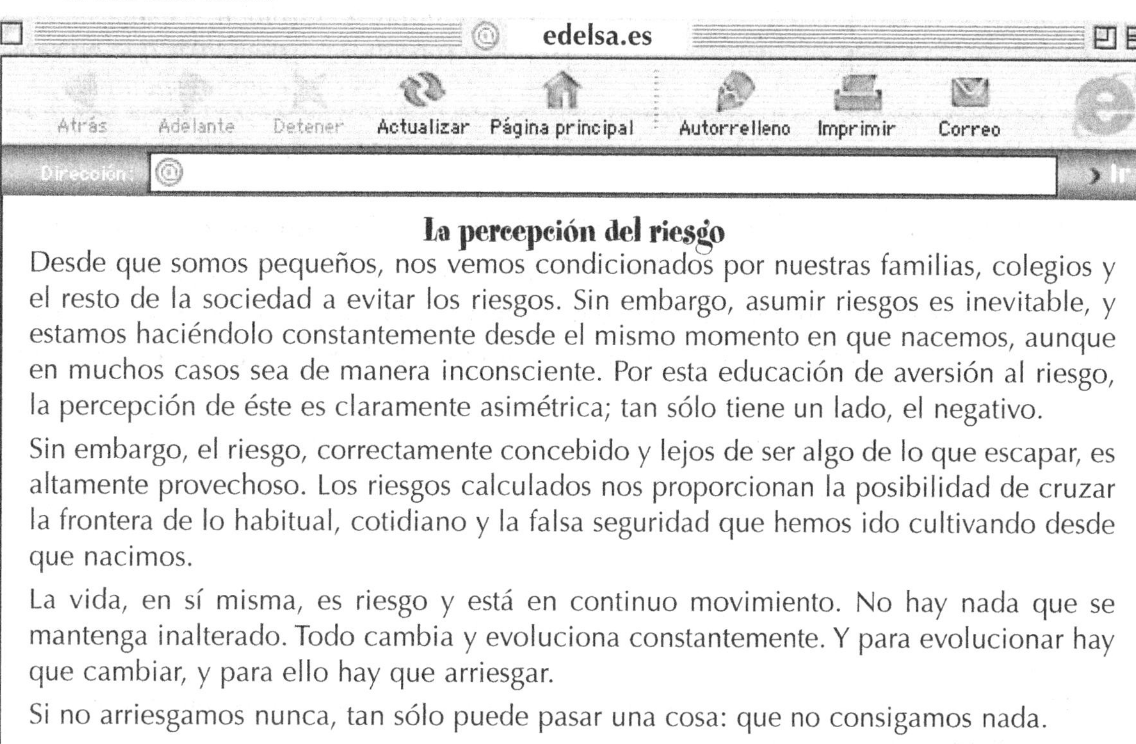

La percepción del riesgo

Desde que somos pequeños, nos vemos condicionados por nuestras familias, colegios y el resto de la sociedad a evitar los riesgos. Sin embargo, asumir riesgos es inevitable, y estamos haciéndolo constantemente desde el mismo momento en que nacemos, aunque en muchos casos sea de manera inconsciente. Por esta educación de aversión al riesgo, la percepción de éste es claramente asimétrica; tan sólo tiene un lado, el negativo.

Sin embargo, el riesgo, correctamente concebido y lejos de ser algo de lo que escapar, es altamente provechoso. Los riesgos calculados nos proporcionan la posibilidad de cruzar la frontera de lo habitual, cotidiano y la falsa seguridad que hemos ido cultivando desde que nacimos.

La vida, en sí misma, es riesgo y está en continuo movimiento. No hay nada que se mantenga inalterado. Todo cambia y evoluciona constantemente. Y para evolucionar hay que cambiar, y para ello hay que arriesgar.

Si no arriesgamos nunca, tan sólo puede pasar una cosa: que no consigamos nada.

Adaptado de http://www.gvderivados.com/%28Trad%29Riesgo.htm

b. Contesta con verdadero (V) o falso (F).

	V	F
1. Desde que somos pequeños tenemos que afrontar riesgos.	○	○
2. Desde el principio nuestros padres quieren que pasemos riesgos.	○	○
3. La vida es correr riesgos desde que nacemos.	○	○
4. Es mejor estar en una situación segura y evitar peligros.	○	○
5. La educación es saber identificar los riesgos desde la infancia.	○	○
6. Desde que nacemos creamos una idea de seguridad.	○	○

c. Localiza en el texto expresiones que signifiquen lo mismo.

1. El odio al riesgo:
2. La visión es incompleta:
3. Es muy útil:
4. Nos permiten superar lo monótono:

d. Y tú, ¿qué opinas? ¿Crees que la vida es riesgo? Escribe un párrafo justificando tu idea.

e. Con la clase, discute tu idea. ¿Hay otras personas que tienen ideas parecidas a las tuyas?

notas

Usos de los pasados			
Narrar acontecimientos			Describir
P. Perfecto	P. Indefinido	P. Pluscuamperfecto	P. Imperfecto
Se utiliza para narrar acontecimientos que el hablante sitúa cerca del presente.	Se utiliza para narrar acontecimientos que el hablante sitúa lejos del presente.	Se utiliza para narrar acontecimientos que son pasados con respecto a otros también pasados.	- Describe las situaciones y los contextos en que esos acontecimientos ocurren. - Describe acciones habituales y hace descripciones del pasado.
*Esta mañana **he tenido** un examen.*	*Ayer **tuve** un examen.*	*Sobre lo que **habíamos estudiado** la semana pasada.*	*El examen **era** muy difícil y **había** muchas preguntas que no **sabía** cómo responder.*

1 **Clasifica estas expresiones de acuerdo a si van con Perfecto o con Indefinido.**

Ayer - hace un rato - desde 1995 hasta 1998 - el otro día - hace un par de horas - hoy - esta mañana - anoche - esta semana - hace tres días - este verano - aquel día - este año - ya - anteayer - aún - la semana pasada - todavía - siempre - nunca - jamás - alguna vez - el año pasado - aquel invierno - hace cinco años - hace media hora - a media noche - el lunes

Pretérito Perfecto	Pretérito Indefinido

2 **Elige cuatro expresiones que se usan con el Perfecto y otras cuatro con el Indefinido y escribe ocho frases.**

1.
2.
3.
4.
5.
6.
7.
8.

3 **Completa las frases con el verbo en la forma adecuada. Después relaciónalas con la justificación.**

1. Hoy (poder) ______ enviar la solicitud de la beca.	a. Es que había ido a mi casa a ver a mi hermana.
2. No me (salir) ______ muy bien el examen de anteayer.	b. Es que hasta hoy no había conseguido los datos del banco de mis padres.
3. Hace un rato (ver) ______ a Lisa.	c. Porque no había estudiado mucho, la verdad.
4. Hoy (ir) ______ al concierto.	d. Mi hermano me había regalado la entrada.
5. El otro día le (echar) ______ una partida de Nintendo a Jesús y (ganar) ______.	e. Y eso que no había jugado nunca, era la primera vez.

notas

4 **Forma frases para responder a la pregunta.**

1. ¿Por qué no viniste ayer a clase? **(Encontrar mal, quedar en la cama)**
2. ¿No fuiste al concierto de Enrique Iglesias? **(Entradas muy caras, preferir ir al cine)**
3. Y, ¿qué te pasó? **(Estar jugando al fútbol, Raúl darme una patada, romperme la pierna)**
4. ¿Por qué no viniste al zoo? **(No tener dinero, ir con unos amigos a dar una vuelta)**
5. ¿Viste a Sonia? **(No, no venir a la fiesta, estar enferma)**
6. ¿Qué tal el examen? **(Muy bien, estudiar mucho, saberse muy bien el tema, sacar buena nota)**

5 **Observa estas imágenes y describe qué pasó.**

Inter-acción

1 **Aquí tienes algunos datos sobre la vida de Antonio Banderas. Pon los verbos en la forma correcta.**

Antonio Banderas .... (recibir) recientemente su tercera nominación para un Globo de Oro por su trabajo en el telefilme *And Starring Pancho Villa as Himself.* Antes ya .... (ser) nominado también por *Evita* y *La máscara del Zorro.* En 2002 .... (hacer) su debut en Broadway con la obra *Nine*, que le .... (valer) una nominación para el premio Tony y le .... (hacer) ganar varios premios. Banderas .... (nacer) en Málaga y en 1981 se .... (mudar) a Madrid. .... (rodar) con Pedro Almodóvar, cuando todavía no .... (ser) mundialmente famosos, cinco películas. .... (hacer) su debut en el cine americano en 1992 con *Los reyes del mambo*, una película musical que .... (tratar) de unos músicos cubanos en EE.UU. Después .... (participar) como actor secundario en varias películas hasta que .... (rodar) *Desperado*, que .... (ser) su primer papel de protagonista. Banderas .... (hacer) su debut como realizador con *Crazy in Alabama*, que .... (estar) protagonizada por Melanie Griffith, con la que se .... (casar) varios años antes.

2 **Pon en orden todos los datos y escribe lo que te parezca más interesante de su vida.**

3 **Piensa en un personaje famoso que te guste y escribe su biografía. Después preséntala a la clase.**

Unidad 1

Con & Texto

1 ¿Te gustan los juegos electrónicos? ¿Cuál prefieres y por qué?

Mega Drive **Game Boy** **Game Gear** **Playstation**

2 ¿Conoces alguno de estos juegos? Elige uno y describe cómo es. Si no los conoces, describe otro.

Super Mario BROS, Alex Kidd, el cerebro de la bestia, Donkey Kong Country, Panzer Dragón, The Legend of Zelda

3 Lee este texto y sabrás más cosas sobre los juegos y las consolas.

Desde hace muchos años, en el tema de las consolas estamos viviendo una especie de "guerra", y dentro de esa "guerra" ya se han producido numerosas batallas en las que las compañías hacen cualquier cosa para obtener la victoria. Este es mi comentario sobre cada una de las batallas:

Batalla 1: NES vs Master System

Nintendo sacó la NES, la consola que revolucionó el mercado hace ya mucho tiempo. Todavía hoy, *Super Mario Bros* sigue siendo el juego más vendido de la historia. Más tarde, salió la Master System de Sega, una memorable consola con juegazos como el *Alex Kidd* y los *Sonic*, pero que no logró hacerle sombra a la NES.

Batalla 2: Game Boy vs Game Gear

Nintendo lanzó al mercado la portátil Game Boy, que tuvo un gran éxito. Después Sega también se quiso meter en el mundo de las portátiles, y sacó la Game Gear, que, a diferencia de la Game Boy, iba a color. Pero, gracias a los juegazos de Game Boy, ésta triunfó, y se convirtió en la consola más vendida y duradera de la historia.

Batalla 3: Super NES vs Mega Drive

Reñidísima batalla. La Mega Drive de Sega fue la primera en salir, lo que le hizo ganar muchas ventas. Y después salió la Super NES de Nintendo, "el cerebro de la bestia". Los mejores juegos de Mega Drive fueron sin duda los de la saga Sonic, que vivió en esta consola sus mejores momentos. En Super NES lo más destacado fue la saga Donkey Kong Country, que llevó a Rare al verdadero estrellato. En Super NES también destacaron mucho sus legendarios RPG.

Batalla 4: Nintendo 64 vs Saturn vs Playstation

De antemano se pensaba que la batalla estaría entre Nintendo 64 y Saturn. Pero Playstation se metió en la batalla. Saturn y Playstation salieron casi al mismo tiempo. Pero Saturn tenía un grave problema: era muy difícil de programar. Además, la multimillonaria Sony hizo publicidad masiva de su Playstation, lo que hizo que su popularidad aumentase. La muerte de Saturn fue temprana, no había tenido el éxito que se merecía, a pesar de sus excelentes juegos. Aún así, había dejado buenos juegos como *Sega Rally, Virtua Fighter, Panzer Dragoon, Nights...*

En pleno proceso de muerte de Saturn, salió a la venta Nintendo 64. Nintendo 64 siempre estuvo en un segundo plano, debido a la popularidad de Playstation, pero lo cierto es que en la consola de Nintendo salieron los mejores juegos que se habían visto hasta la fecha, como las dos entregas de *The Legend of Zelda, Perfect Dark, Super Smash Bros, Super Mario 64, Mario Kart 64, Banjo-Kazooie,* y muchos más.

Playstation fue la consola más vendida de la batalla. Sus juegos más destacados fueron la saga *Final Fantasy, Metal Gear Solid,* la saga *Tekken,* la saga *Gran Turismo,* la saga *Ridge Racer...*

La guerra sigue y sigue...

Adaptado de http://www.mundorob.com/guerra.htm

notas

4. **Relaciona las compañías con las consolas y los juegos. Para ello busca la información en el texto.**

1. Nintendo
2. Sega
3. Sony

a. 64
b. Game Boy
c. Game Gear
d. Master System
e. Mega Drive
f. Nes
g. Playstation
h. Saturn
i. Super Nes

i. Alex Kidd
ii. Donkey Kong Country
iii. Final Fantasy
iv. Panzer Dragon
v. Super Mario Bros
vi. The legend of Zelda

5. **Ordena estas consolas según el momento en que aparecieron.**

- ❑ Game Boy
- ❑ Game Gear
- ❑ Master System
- ❑ Mega Drive
- ❑ Nes
- ❑ Nintendo 64
- ❑ Playstation
- ❑ Saturn
- ❑ Super Nes

6. **Responde a las preguntas según la información que opone el texto.**

1. ¿Por qué Nintendo sigue siendo una empresa líder?
2. ¿Por qué la Game Boy es una de las consolas más vendidas?
3. ¿Cuándo vivió su mejor momento Mega Drive?
4. ¿Por qué no tuvo éxito Saturn?
5. ¿Por qué tuvo tanto éxito la Playstation?

7. **Escribe un párrafo en el que haces un resumen de la competencia entre las distintas compañías y consolas.**

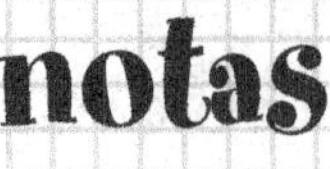

Unidad 2

LECCIÓN 3

<table>
<tr><th colspan="2">Las oraciones concesivas</th></tr>
<tr><td colspan="2">Expresan un obstáculo para la realización de la acción, pero, sin embargo, la acción tiene lugar.</td></tr>
<tr><td rowspan="2">Aunque, por mucho, por más que + Indicativo / Subjuntivo</td><td>Se utiliza el Indicativo cuando consideramos que el obstáculo es real.
-Está lloviendo, no salgas.
-Aunque llueve, voy a salir.</td></tr>
<tr><td>Se utiliza el Subjuntivo cuando consideramos que el obstáculo es potencial.
-Va a llover, no salgas.
-Aunque llueva, voy a salir.</td></tr>
<tr><td>A pesar de (que) + Infinitivo / Indicativo</td><td>A pesar de no haber estudiado, aprobó el examen.
A pesar de que no hizo muy bien el examen, el profesor le aprobó.</td></tr>
</table>

1 **Forma frases como en el ejemplo.**

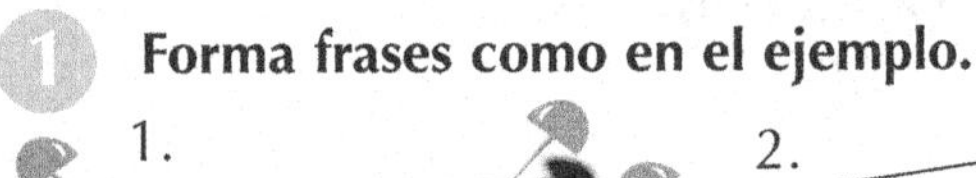

1.

Voy a salir.

Aunque llueve, voy a salir. Aunque llueva, voy a salir.

2.

Tengo que comprarle un regalo

3.

Voy a despertarle, tengo que hablar con él

4.

No voy a verlo, tengo que estudiar mucho

2 **¿Indicativo o subjuntivo? Completa las frases con los verbos en la forma correcta.**

1. Julián, aunque no ________ (saberse) muy bien la lección, aprobó el examen.
2. Mira, si no estudias, aunque ________ (saberse) la lección, no sacarás buena nota.
3. Pues sí, aunque no me ________ (gustar) mucho las películas de terror, voy a ir con vosotros al cine. No quiero quedarme en casa.
4. Voy con vosotros al cine aunque ________ (elegir) una película de terror, no me importa.
5. No me importa lo que opines de él. Aunque ________ (ser) el chico más guapo del mundo, no voy a salir con él.
6. Sí, pero aunque ________ (ser) muy guapo, es verdad, es insoportable.
7. Les voy a preguntar a mis padres si me dejan ir y, aunque no me ________ (dejar) ir, iré. Ya se me ocurrirá alguna forma para convencerles, no te preocupes.
8. Ya he hablado con mis padres y, aunque me ________ (dejar) ir, he pensado que mejor me quedo en casa.
9. Aunque no me ________ (creer), te lo voy a decir: yo te he querido siempre.
10. Eres muy desconfiado y, aunque no me ________ (creer), es una buena idea organizar esa actividad para recaudar fondos del viaje de fin de curso.

notas

3. **Marca la opción más adecuada.**

1. Se pone tan nervioso que, **por mucho / a pesar de** que estudie, siempre saca malas notas.
2. **Por más / A pesar de** no tener mucho dinero, decidimos viajar este verano por Europa.
3. **Por más / A pesar de** que le digo que recoja su habitación, nunca lo hace.
4. Mira, **por muchas / a pesar de** amigas que tengas, no puedes cerrarte. Tienes que buscar amigas en otros ambientes.
5. No creo que esté muy convencido de qué es lo que tiene que hacer **por mucho / a pesar de** que se lo hemos explicado ya varias veces.
6. **Por más / A pesar de** que insitas, no va a venir a la fiesta. Déjalo.
7. Es tan buena persona que, **por mucho / a pesar de** que le engañan, siempre tiene buenas impresiones sobre los demás.
8. No creo que la idea sea buena, **por mucho / a pesar de** que ha sido mía.

4. **Relaciona las frases.**

1. A mí Brad Pitt, por muy famoso que sea,
2. Este verano, aunque todavía no hablo perfectamente español,
3. Pues yo, aunque este sea el último año de la escuela,
4. Por mucho que estudio,
5. Por más sueño que tenga,

a. no me acuesto todavía, que la película de la tele es muy buena.
b. pienso seguir estudiando español. Me gusta mucho.
c. siempre tengo que repasar antes de los exámenes, porque se me olvida algo.
d. no me parece buen actor.
e. voy a hacer un viaje por España.

5. **¿Y tú? Continúa las frases.**

1. Aunque este es mi último curso de español,
2. A pesar de no ser bilingüe en español,
3. Por mucho dinero que tenga,
4. Por muy simpático que sea,

Inter-acción

1. **Los refranes son frases populares que se utilizan continuamente en el lenguaje coloquial y que tienen un mensaje. Lee estos cinco e imagina qué significan. Después, con tu compañero, elabora una definición.**

1. La jaula, aunque de oro, no deja de ser prisión.
2. Aunque la mona se vista de seda, mona se queda.
3. No por mucho madrugar amanece más temprano.
4. Amigos que no dan nada y cuchillos que no cortan, aunque se pierdan, no importa.
5. Mal hace quien no hace bien, aunque no haga mal.

2. **¿Hay algunos refranes equivalentes en tu lengua? Indica cuáles y explica qué significan.**

Unidad 2

LECCIÓN 4

Perífrasis		
Acabar de + Infinitivo	Para indicar que algo ha ocurrido ahora mismo	*No, Irene no está. Se* ***acaba de*** *marchar.*
Dejar de + Infinitivo	Para expresar que ya no se hace algo	***He dejado de*** *tomar chocolate por la mañana. Ahora prefiero un café.*
Ponerse a + Infinitivo	Para indicar el principio de una acción	***Se ha puesto a*** *llover cuando estábamos en la calle.*
Estar + Gerundio	Para indicar que una acción está en progreso	*Ahora no puedo ir contigo,* ***estoy*** *estudiando.*
Estar a punto de + Infinitivo	Para expresar que algo va a pasar dentro de poco tiempo	*El tren* ***está a punto de*** *salir, vamos que lo perdemos.*
Llevar + *cantidad de tiempo* + Gerundio	Para indicar la duración de una acción	***Llevo*** *cuatro años estudiando español.*
Seguir + Gerundio	Para indicar que una acción continúa	*Ya no salgo con Beatriz, pero* ***seguimos*** *siendo buenos amigos.*

1 Transforma las frases, utilizando una perífrasis, para que signifiquen lo mismo.

1. **Ya no salgo** con Beatriz. **He dejado de salir con Beatriz.**
2. **Todavía estudio** en el mismo instituto que Alberto.
3. **Ya no voy** a clase en autobús, voy en bicicleta.
4. El autobús **va a salir ya**. Corre, que lo pierdes.
5. Bueno, **ya he hecho** los ejercicios, me puedo ir.
6. **Vivo** en esta ciudad **desde hace** tres años.
7. **Empezó a llover** y nos calamos completamente.
8. **En este momento leo** un libro, no me molestes.
9. **Todavía repaso** la gramática. Es difícil.
10. **Me ha llamado ahora mismo Jesús**. Que está enfermo.

2 Elige la opción adecuada.

1. Mi prima **ha dejado de / se ha puesto a** comer carne. Se ha vuelto vegetariana.
2. Me parece muy raro todo esto. **Acabo de / Sigo pensando** que no está nada claro.
3. De repente **se puso a / siguió** nevar y nos tuvimos que ir corriendo a casa.
4. No. **He dejado de / Llevo** ir al instituto en bici, porque nos lleva la madre de Raúl.
5. Irene y yo **llevamos / seguimos** siendo novios. **Llevamos / Estamos** saliendo juntos más de tres años.
6. La clase **ha dejado de / está a punto de** empezar y todavía no he terminado este ejercicio. Tengo que darme prisa.
7. Cuando supo que había aprobado, **se puso a / estuvo** dar saltos de alegría.
8. ¡Por fin! **Acaba de / Está a punto de** llegar la carta. Voy a leerla ahora mismo.
9. No, Carlos no está. **Ha dejado de / Acaba de** irse a la biblioteca. Va a **seguir / estar** estudiando toda la tarde allí.
10. Este coche **ha dejado de / sigue** haciendo ruido. Habrá que llevarlo al taller.

notas

3 Completa las frases como tú quieras.

1. Mi mejor amigo ha dejado de
2. Yo sigo
3. ¡Uy, qué tarde! Está a punto de
4. Llevo
5. Mira que sorpresa. Acaba de
6. Si me pongo a
7. No, no puedo ir ahora, es que estoy

Inter-acción

1 ¿Tienes alguna manía que quieres dejar?

a. Lee este texto. ¿Qué soluciones dan al problema de Goldman. ¿Crees que alguna de las soluciones es efectiva. ¿Cuál?

b. Subraya las perífrasis que hay en el texto y sustitúyelas por frases sin perífrasis.

c. Escribe tu intervención en el foro. ¿Qué solución puedes darle a Goldman?

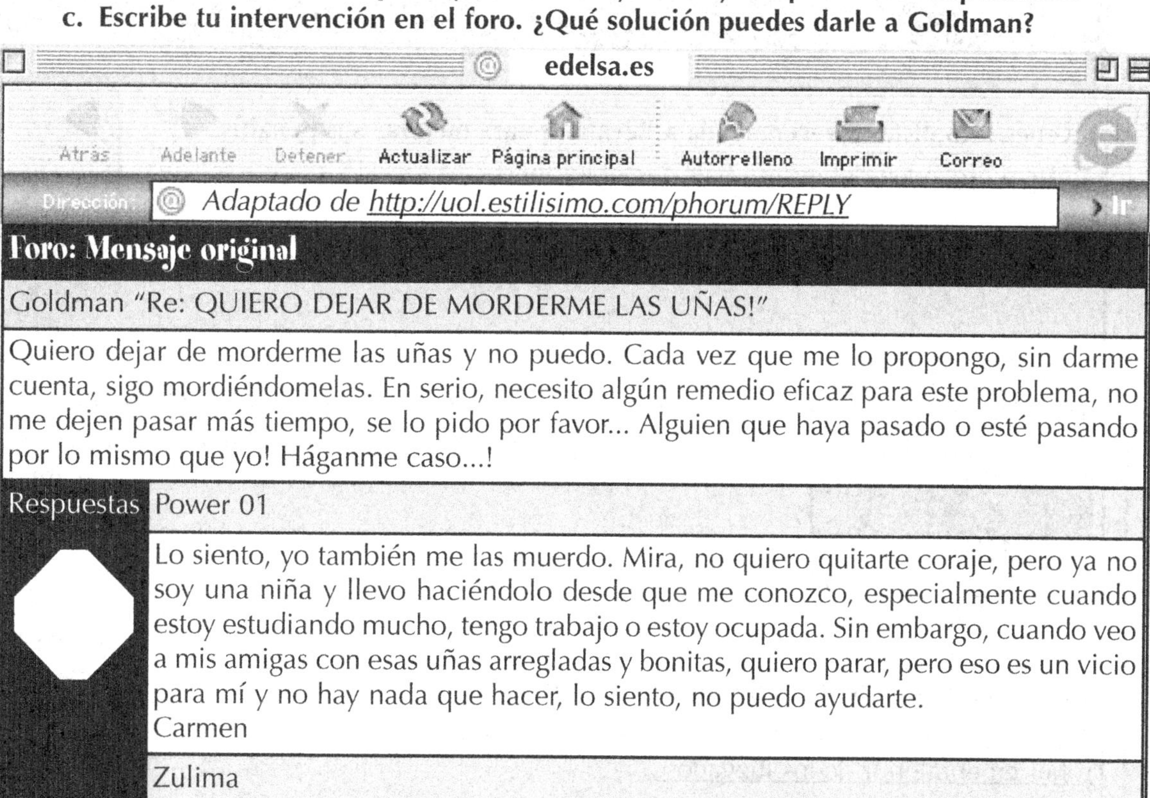

Foro: Mensaje original

Goldman "Re: QUIERO DEJAR DE MORDERME LAS UÑAS!"

Quiero dejar de morderme las uñas y no puedo. Cada vez que me lo propongo, sin darme cuenta, sigo mordiéndomelas. En serio, necesito algún remedio eficaz para este problema, no me dejen pasar más tiempo, se lo pido por favor... Alguien que haya pasado o esté pasando por lo mismo que yo! Háganme caso...!

Respuestas

Power 01

Lo siento, yo también me las muerdo. Mira, no quiero quitarte coraje, pero ya no soy una niña y llevo haciéndolo desde que me conozco, especialmente cuando estoy estudiando mucho, tengo trabajo o estoy ocupada. Sin embargo, cuando veo a mis amigas con esas uñas arregladas y bonitas, quiero parar, pero eso es un vicio para mí y no hay nada que hacer, lo siento, no puedo ayudarte.
Carmen

Zulima

Soy Zulima, de Argentina, el comerse las uñas sabemos que es un tic y es un horror dejarlo. Pero prueben a sumergir los dedos en pimienta con agua o ponerse en el instituto o en el trabajo una cinta *scoch* en los dedos índice y pulgar, así se acuerdan si se meten los dedos en la boca. Un beso y respondan cómo siguen esas uñitas.

Yayoi

Hola, "Goldman". Te estoy escribiendo desde México. Yo acabo de dejar de morderme las uñas, apenas llevo un año haciendo el intento, y lo he logrado. Aquí en México acaban de sacar un producto que se llama Factor 15. Tienes que ponértelo a diario, aunque sigas usando el otro barniz, y en 15 días te crecen. Si no encuentras el barniz, ponte varias capas de uno que sea transparente mientras te crecen y así, cuando te las muerdas, sentirás el barniz y te las dejarás de morder.

2 Describe una manía que tengas y que quieras dejar. Puede ser real o inventada. Inicia un nuevo foro. Anima a tus compañeros de clase a participar.

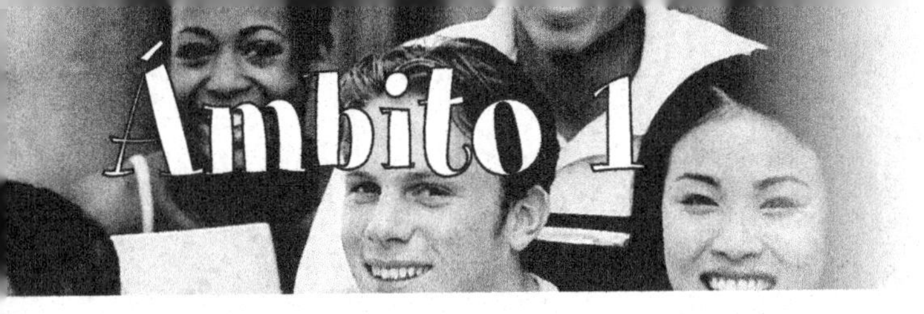

Unidad 2

Con & Texto

1 **Observa esta página web de *Un país de locos*. En ella hay tres noticias de actualidad.**
a. Lee los titulares e imagina qué ha pasado en cada una.

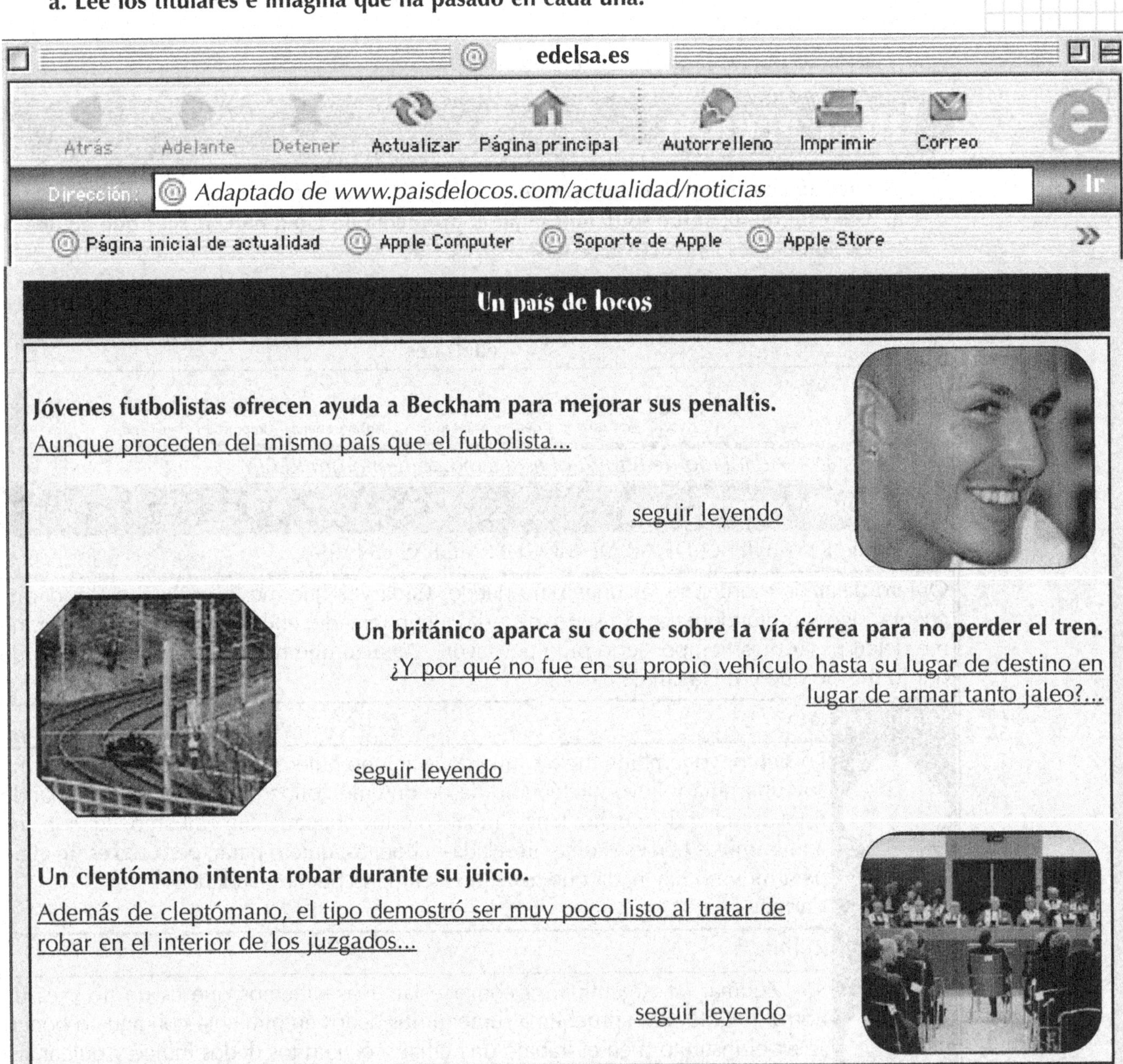

Un país de locos

Jóvenes futbolistas ofrecen ayuda a Beckham para mejorar sus penaltis.
Aunque proceden del mismo país que el futbolista...

seguir leyendo

Un británico aparca su coche sobre la vía férrea para no perder el tren.
¿Y por qué no fue en su propio vehículo hasta su lugar de destino en lugar de armar tanto jaleo?...

seguir leyendo

Un cleptómano intenta robar durante su juicio.
Además de cleptómano, el tipo demostró ser muy poco listo al tratar de robar en el interior de los juzgados...

seguir leyendo

En la de David Beckham

En la del tren

En la del cleptómano

b. Ahora elige una de las noticias, léela y haz un resumen.

Un británico aparca su coche sobre una vía férrea para no perder el tren

¿Y por qué no fue en su propio vehículo hasta su destino en lugar de armar tanto jaleo?

LONDRES. Un hombre de negocios británico que llevaba esperando el tren, furioso tras conocer con solo unos minutos de antelación que el tren que debía tomar no se detendría en la estación en la que esperaba, decidió aparcar su coche sobre la vía.

Los hechos se remontan al 22 de septiembre y podrían salirle caro al irritado vajero. Su maniobra provocó ciertamente el resultado esperado: el convoy dejó de correr y se detuvo en la pequeña estación de Berwick, cerca de Eastbourne (al suroeste de Inglaterra), y Simon Taylor pudo subir en el tren y seguir su destino a Londres.

Estación de Berwick

Jóvenes futbolistas ofrecen ayuda a Beckham para mejorar sus penaltis

Lo curioso del caso es que proceden del mismo país que el futbolista

Un equipo de menores de 15 años ofreció dar sus consejos a David Beckham, porque lleva fallando varios penaltis desde hace tiempo, y así mejorar los tiros desde los once metros. El entrenador de Beecholme Colts, un equipo de adolescentes de Surrey, en el sur de Inglaterra, estimó este lunes que sus jóvenes jugadores podrían sin duda enseñar una o dos cosas a Beckham, después de que sus pupilos acaben de ganar por 46 - 45 una serie interminable de penaltis.

El técnico Gary Tuhill aseguró que su equipo estaría muy contento de mostrar al jugador del Real Madrid dónde está su error. "Con gusto le daríamos algunos consejos", dijo Tuhill, quien agregó que seguía admirando a Beckham.

David Beckham

Un cleptómano intenta robar durante su juicio

Además de cleptómano, el tipo demostró ser muy poco listo al tratar de robar en el interior de los juzgados

VERSALLES, Francia. Un francés de 31 años, que debía comparecer ante un tribunal de Versalles (en las afueras de París), fue detenido en la sala de la audiencia cuando estaba robando una cartera del bolso de una abogada, afirmaron este viernes fuentes policiales.

Varios policías de civil, que estaban en el juicio, se levantaron bruscamente y gritaron "policía", sorprendiendo a la presidenta del tribunal que estaba juzgando el asunto. Después condujeron al hombre, que no ofreció ninguna resistencia, al exterior de la sala.

"¡Jamás he visto esto!", declaró la presidenta poco después de la salida de los policías.

El hombre, desgraciadamente conocido por los servicios de policía, ha sido detenido. "La tentación fue demasiado fuerte" explicó.

Juzgado de Versalles

c. Prepara ahora un resumen. Tienes que incluir las siquientes informaciones.

¿Quién? ¿Qué? ¿Cuándo? ¿Dónde? ¿Por qué?

2 Con tus compañeros de clase organizamos la portada de un periódico con todas las noticias.

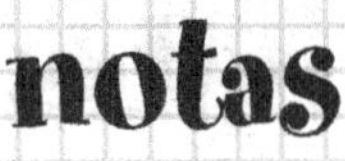

Unidad 3

LECCIÓN 5

Expresar la opinión		
CONSTATAR	Está claro Es cierto que + Indicativo Es verdad	***Es cierto que*** *estamos en el último curso.*
VALORAR	Es conveniente Es normal Es mejor + Infinitivo / **que** + Subjuntivo Es lógico Es importante	***Es conveniente*** *estudiar mucho.* ***Es conveniente que*** *nosotros estudiemos mucho para aprobar el examen.*

1 **¿Constatación o valoración? Clasifica estas expresiones.**

es bueno - es cierto - es conveniente - es evidente - es importante - es lógico - es normal - es malo - es muy raro - es necesario - es obvio - es una tontería - es verdad - está claro - está demostrado - está visto

Constatar	Valorar

2 **Completa con el verbo en Indicativo o en Subjuntivo.**

1. Si quieres hacer amigos, es bueno que te ________ (apuntar) a una club. Es verdad que también ________ (poder) hacer amigos en el instituto, en tu barrio, etc. Pero es probable que ________ (encontrar) muchas personas de distintos gustos y es más lógico que ________ (haber) personas con las mismas aficionas en un club determinado. Por eso, es importante que ________ (elegir) el club con tus actividades favoritas.
2. Es obvio que los ordenadores ________ (ser) útiles para aprender, también para los idiomas. Es evidente que Internet, por ejemplo, ________ (permitir) el contacto con información, intercambio y juegos en otros idiomas que ayudan al aprendizaje. Es también normal que muchos estudiantes se ________ (sentir) atraídos por las nuevas tecnologías. Pero es horrible que algunos estudiantes ________ (pasar) horas delante del ordenar cuando podían hacer otras cosas. Es muy importante que todos ________ (saber) utilizar bien el ordenador: cómo, cuándo y cuánto.
3. Está claro que el deporte ________ (ser) sano y bueno. Es lógico, por tanto, que algunos estudiantes ________ (querer) participar en varios deportes o competir en diferentes equipos. Pero, para estar sano, es evidente que no ________ (bastar) con hacer ejercicio, que es importante que se ________ (llevar) una vida equilibrada: comer de todo, descansar, dormir 8 horas diarias, etc. Por eso, es bueno que en los institutos se ________ (hacer) campañas informativas.
4. A mí me parece que es muy raro que en mi escuela no ________ (haber) clases bilingües, porque es muy importante que nos ________ (acostumbrar) a escuchar otras lenguas para prepararnos para el futuro.

notas

3. Reacciona utilizando expresiones de constatación afirmativas y negativas.

Recuerda
Es cierto, verdad, evidente... que + Indicativo
No es cierto, verdad, evidente... + Subjuntivo

El fútbol es un gran deporte. Es el que mejor se adapta a todos.

Es verdad que el fútbol es un gran deporte, pero no es cierto que sea el que mejor se adapta a todos.

La televisión es aburrida. Hay muchos programas muy malos.

Los exámenes no sirven para nada. Hacen que las personas se pongan nerviosas.

Los jóvenes son cada día más independientes y más insolidarios.

La tecnología avanza muy rápido. En poco tiempo se construirán ciudades en Marte.

4. Completa las frases libremente.

1. No es verdad que
2. Es horrible que
3. A mí me parece bien que
4. Es cierto que , pero
5. No es normal que
6. Es verdad que y, por eso, es importante que

Inter-acción

1. Elige un tema y escribe una opinión.

El ocio y el tiempo libre — Los deportes — La ecología — Las clases y los exámenes — El futuro

2. Lee la opinión que has escrito. Escucha la de tus compañeros y toma notas.

3. Reacciona a lo que han dicho tus compañeros y di tu opinión.

4. Organizamos un debate. Toda la clase elige uno de los temas que ha salido. Cada uno escribe argumentos a favor de su idea. Las presentamos en el pleno y las discutimos.

notas

Hablar de la facilidad o dificultad para hacer algo	
Dársele (muy, bastante) bien / (muy, bastante) mal...	***A mí se me da bien*** *hacer nuevos amigos.*
Resultarle (muy) fácil / (un poco) difícil...	***Me resulta fácil*** *hablar con extraños y conectar con las personas.*
Costar un poco / bastante / mucho...	***No me cuesta mucho*** *encontrar puntos comunes de conversación.*

1 **¿Te cuesta hacer amigos? Lee lo que dicen estos chicos. ¿A quién te pareces más? ¿Por qué?**

A mí se me da bien hacer nuevos amigos. Me resulta fácil hablar con extraños y conectar con las personas. No me cuesta mucho encontrar puntos comunes de conversación.

A mí no, se me da fatal empezar una conversación con alguien que no conozco. Por ejemplo, cuando en clase hay un estudiante nuevo, no sé de qué hablar con él. Me cuesta mucho romper el hielo.

Bueno, a mí no me cuesta mucho hacer nuevos amigos. Lo que me resulta muy difícil es hacerlos buenos amigos. No soy muy abierto y, por eso, se me da mal hacer una amistad profunda.

2 **Escribe tu frase:**

Tú

3 **Tú y el español. Relaciona.**

Se me da bien / mal Se me dan bien / mal	- Las reglas de las gramática. - Hacer ejercicios de gramática. - El Subjuntivo. - El vocabulario nuevo. - Las redacciones. - Los exámenes tipo test.	Me cuesta mucho / poco	- Memorizarlas. - Saber qué hay que hacer. - Utilizarlo. - Aprenderlo. - Hacer que se me entienda. - Concentrarme.

4 **Escribe ahora tus frases: ¿qué se te da bien y mal del español? ¿Por qué?**

notas

5 Los deportes y el tiempo libre. Elige dos actividades, una que se te da bien y otra mal, y explica por qué.

Deportes:
- Tenis
- Natación
- Gimnasia
- Fútbol
- *Footing*

Actividades:
- Jugar al ajedrez
- Pintar
- Escribir cuentos, poemas...
- Charlar con amigos

Ayuda
Competitivo
En equipo / solitario
Coordinado
Tranquilo / activo

A mí me gustan mucho los deportes competitivos, se me da bien coordinarme con otros. Me cuesta un poco seguir siempre unas reglas. Por eso, juego mucho al fútbol y creo que no se me da nada mal. Juego de delantero y me resulta más o menos fácil meter goles.

Inter-acción

1 **Seguramente alguna vez habrás sentido frustración por algo. Marca qué te produce frustración.**

- ❒ Cuando las cosas no salen como yo espero.
- ❒ Cuando me resulta muy difícil hacer algo.
- ❒ Cuando hago fatal algo que se me da mal.
- ❒ Cuando me cuesta mucho hacer algo, aunque al final me sale bien.
- ❒ Cuando me sale mal algo que normalmente me resulta fácil.

2 **Lee este texto sobre la frustración. ¿Estás de acuerdo con lo que dice?**

FRUSTRACIÓN. Este sentimiento se produce por muchas causas. Cada vez que tenemos problemas para hacer algo, que algo nos cuesta mucho esfuerzo o mucha concentración, cuando nos resulta difícil hacer algo y, finalmente, no obtenemos el resultado esperado, sentimos la emoción de la frustración.

El mensaje de la frustración es una señal de excitación. Significa que su cerebro está convencido de que puede hacer las cosas mejor de lo que las está haciendo ahora. La frustración es muy diferente a la desilusión, que es el sentimiento de que hay algo que desea en la vida, pero que nunca puede alcanzar, de que le resultará imposible o muy difícil conseguir algo. En contraste, la frustración es una señal muy positiva. Significa que se le da bien lo que está haciendo, le resulta fácil encontrar la solución a un problema, pero lo que está haciendo en la actualidad no funciona, por lo que necesita cambiar su actitud para alcanzar su objetivo. Es una señal para que sea más flexible. ¿Cómo puede enfrentarse a la frustración?

Sencillamente:

a) Darse cuenta de que la frustración es su amiga, le indica que es capaz de hacerlo mejor.

b) Busque información sobre cómo puede resultarle más fácil hacer lo que se propone. Pregunte a alguien que tuvo éxito en lo mismo.

c) Siéntase fascinado por lo que pueda aprender y que sea capaz de ayudarle a manejar este desafío, no sólo hoy, sino también en el futuro, y hacerlo de un modo que le resulte fácil, y que le produzca una sensación de alegría.

http://www.inteligencia-emocional.org/articulos/las_10_senales_accion.htm

3 **Piensa en una situación que te produjo frustración. ¿Crees que lo podrías haber hecho mejor? ¿Qué tendrías que haber hecho?**

Unidad 3

LECCIÓN 6

Expresar sentimientos			
(A mí)	me	da vergüenza da miedo preocupa fastidia alegra pone nervioso/a hace feliz emociona	+ Infinitivo ***Me alegra*** *escribir correos electrónicos a mis amigos.*
(A ti)	te		
(A él / ella / Usted / Sofía)	le		
(A nosotros / as)	nos		+ Presente de Subjuntivo ***Me alegra que*** *mis amigos me escriban correos electrónicos.*
(A vosotros / as)	os		
(A ellos / ellas / Ustedes /Yolanda y Jorge)	les		

1 **¿*Poner* o *dar*? Clasifica las expresiones:**

colorado - contento - de mal humor - enfermo - histérico - igual - miedo - nervioso - pena - sueño - triste - vergüenza

Poner Con adjetivos y expresiones de estado	Dar Con sustantivos

2 **¿Qué sentimientos te producen estas cosas? Escribe las frases.**

Los exámenes: ______

La música clásica: ______

Las fiestas familiares: ______

Salir a la pizarra: ______

Llegar tarde a clase: ______

Suspender un examen: ______

Hablar en clase: ______

3 **¿Infinitivo o Subjuntivo? Completa las frases con uno de los siguientes verbos en la forma adecuada y con *que* en caso necesario.**

competir - escribir - ganar - jugar - leer - opinar - perder - pintar - revisar - ser

1. Me encanta ver el fútbol en televisión y, claro, me pone muy contento ______ mi equipo favorito. Por supuesto, también me pone muy triste ______.
2. Yo prefiero practicar deporte a verlo. Me divierte ______ con mis amigos al baloncesto. A veces participamos en una liga del barrio y me pone muy nervioso ______ de mi mismo instituto el equipo rival.
3. Yo prefiero actividades tranquilas. Me molesta ______ con otros y me divierte ______ paisajes o ______ cuentos. Me hace feliz ______ mis cuentos mis amigos y ______ sobre ellos.
4. A mí también me gusta escribir, pero me da vergüenza ______ otras personas lo que he escrito. Por eso no se lo dejo ver a nadie.

notas

4 Y tú, ¿cómo eres? Describe tu personalidad, cómo eres, qué te gusta y qué te molesta.

Inter-acción

1 Lee estos anuncios de amistad. ¿Cuál te parece más interesante? ¿Por qué?

Chico deportista de 15 años busca amigos para hacer deporte. Activo, alegre y sociable. marco@hotmail.es

Club de escritores jóvenes. Si quieres participar en nuestro club y compartir con otros tus relatos, contacta con www.lospoetas.com

¿Te cuesta estudiar solo y quieres que nos ayudemos juntos? No lo dudes, contacta con nosotros. Chicos y chicas de bachillerato. Josema@yahoo.com

Estudiantes de todo el mundo hemos organizado un chat para practicar idiomas. www.idiomashoy.net

Si buscas amigos en tu ciudad y no sabes cómo conocerlos, nosotros te ayudamos. Sólo tienes que describirnos cómo eres y cómo quieres que sean tus nuevos amigos. www.amigos.amigos.com

Cine, teatro, música. Queremos organizar chicos y chicas que quieran compartir sus momentos de ocio. Llama al 91.456.31.22

2 Imagina que quieres participar en uno de estos grupos. Escribe el texto en el que te presentas, describes tus gustos e indicas cómo deseas que sean tus nuevos amigos.

3 En la clase vamos a formar un club. Decide con tus compañeros qué tipo de club y escribe el anuncio.

Dar consejos	
Te/le/os/les aconsejaría, recomendaría, sugeriría... que + Imperfecto de Subjuntivo	*A mis amigos les aconsejaría que* *estudiasen más.*

1 **Relaciona.**

1. A mis padres les sugeriría que...

2. A mis profesores les pediría que...

a. Estudiasen más.
b. Se portasen bien con mis padres.
c. Pusiesen exámenes fáciles.
d. Me dejaran salir más con mis amigos.
e. Me ayudase con los deberes.

3. A mis hermanos menores les diría que...

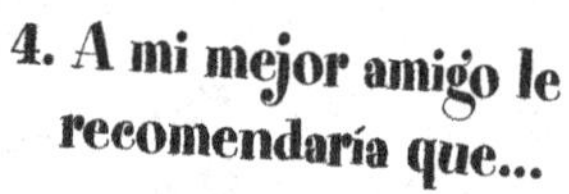

4. A mi mejor amigo le recomendaría que...

5. A mis compañeros les aconsejaría que...

2 **Forma el Imperfecto de Subjuntivo en la forma -se de estos verbos.**

1. Estudiar	**estudiase**					
2. Poner						
3. Ser						
4. Estar						
5. Hacer						
6. Saber						

3 **¿Qué consejos les darías tú a estas personas?**

A mis padres les sugeriría que...

A mis profesores les pediría que...

A mis hermanos menores les diría que...

A mi mejor amigo le recomendaría que...

A mis compañeros les aconsejaría que...

3 **Crea consejos para estas personas que tiene estos problemas.**

Inter-acción

1 **Invéntate un problema personal. Elige una de las opciones y describe el problema.**

- Eres muy impuntual.
- Te cuesta mucho aprender la gramática del español.
- Eres muy tímido y no te atreves a hablar en clase.
- Tus padres son muy estrictos y no te dejan salir con tus amigos.
- Hay una chica en clase que te gusta y no sabes cómo decírselo.

2 **Tus compañeros te dan consejos. ¿Cuál crees que te ayuda más?**

3 **Escucha los problemas de tus compañeros y dales consejo.**

Unidad 3

Con & Texto

1 Lee este texto.

Aquel chico tenía catorce años y era un auténtico desastre. Tenía un carácter muy difícil y una apatía impresionante. Apenas atendía en clase, y luego en su casa estudiaba menos aún. Parecía no tener ilusión por nada, suspendía habitualmente un montón de asignaturas, y sus padres estaban desesperados. Finalmente acabó el curso, y durante mucho tiempo apenas nos volvimos a ver hasta que siete años después coincidimos. Estudiaba en la universidad una carrera muy difícil. Y me explicó el cambio que había vivido después de tantos consejos de sus profesores y sus padres.

"Bueno, fue un día concreto. Estaba en plena época de exámenes, y esos días no teníamos clase, para poder estudiar. Pero estudiar no me apetecía absolutamente nada. Estaba con la angustia de los exámenes, de no haber hecho nada durante el curso y de suspender otra vez. Pero ese día tenía una idea en la cabeza: Oye, tío..., ¿qué es esto? ¿Voy a estar toda la vida así? ¿Cincuenta o sesenta años más así? Esto no funciona. Algo tiene que cambiar. No puedo seguir así el resto de mis días. Pensaba en el fracaso de mi vida, en todo eso que me había dicho tantas veces tanta gente. Pero aquella vez fue distinto. No me dijo nada nadie. Aquella vez me lo dije todo yo a mí mismo. Y cambié. Eso es todo.

"Desde entonces, tengo una idea bien clara: los buenos consejos te dan oportunidades de mejorar, pero nada más. Si no los asumes, si no te los propones seriamente, como cosa tuya, no sirven de nada, por muy buenos que sean; es más, para lo único que sirven entonces es para que cada vez los valores menos, para que se produzca una especie de inflación de los consejos que recibes.

"Oír una cosa es muy distinto de hacerla propia. Y para mejorar realmente, la única manera es ser capaz de decirse a uno mismo las cosas, ser capaz de cantarte las cuarenta a ti mismo."

Aquel antiguo alumno mío cambió gracias a una sana inquietud por su futuro.

http://www.interrogantes.net

2 Describe la personalidad de este chico. ¿Cómo era?

3 Contesta a estas preguntas.

a. ¿Qué hacían sus profesores y sus padres ante su apatía?
b. ¿Cuándo decidió cambiar de actitud?
c. ¿Por qué cambió de actitud? ¿Qué le hizo cambiar?
d. ¿Qué opina de los consejos?

4 Y tú, ¿qué opinas de los consejos? ¿Son siempre útiles?

5 El chico de la historia cambió porque reflexionó sobre su futuro. Ahora tú, ¿piensas sobre tu futuro? ¿Qué te preocupa? Marca las opciones.

- ❐ Cómo terminarás el curso.
- ❐ Qué profesión tendrás.
- ❐ Qué harás después del instituto.
- ❐ Cómo será tu vida.

notas

6 **Escribe un párrafo donde cuentas lo que piensas sobre tu futuro.**

7 **Escribe un texto parecido con un cambio grande que has visto en una persona que conoces o elige una de las situaciones e inventa una historia.**

- Un amigo era muy tímido y no hablaba con nadie, por eso todo el mundo pensaba que era muy raro y un día se volvió muy sociable y muy animado.
- Un compañero no le gustaba estudiar español y, por eso, sacaba muy malas notas. Un día conoció a alguien en un chat hispano y ahora es el mejor de la clase.
- Un primo no quería ir con vosotros a practicar algún deporte. Tus padres te decían que tenías que ir con él, pero no teníais los mismos gustos. Un día empezó a jugar con vosotros y ahora es uno de los principales jugadores del equipo.

unidad 4

LECCIÓN 7

Expresar deseos			
(A mí) (A ti) (A él/ella/usted) (A nosotros/nosotras) (A vosotros/as) (A ellos/ellas/ustedes/)	me te le nos os les	gustaría encantaría interesaría	+ Infinitivo ***Me gustaría*** *sacar buena nota en el examen final.* + Imperfecto de Subjuntivo ***Me gustaría que*** *mis amigos también sacaran buena nota.*

1 **Relaciona.**

1. **A mi madre le gustaría...**
2. **A mi hermana pequeña le encantaría...**
3. **A mí me interesaría...**
4. **A mis amigos les encantaría...**
5. **A mis profesores les gustaría...**

a. poder salir con mis amigos y conmigo.
b. que atendiera más en clase.
c. que pudiéramos hacer una fiesta de fin de curso en mi casa.
d. que yo estudiara en la universidad y consiguiera un buen trabajo.
e. ver la última película de Spielberg.

2 **¿Infinitivo o Subjuntivo? Completa las frases con los verbos en la forma adecuada y con *que* en caso necesario.**

aprender - ayudarle - enseñarme - estar - estudiar - hablar - sacar - ser - venir

1. A Ricardo le gustaría ________ buenas notas en sus clases y, por eso, le gustaría ________ su hermano mayor a hacer los deberes, pero no puede.
2. Sandra es un poco vaga y, por eso, a su madre le gustaría ________ más, para sacar mejores notas y más ________ trabajadora en casa.
3. ¿Os gustaría ________ a casa a merendar esta tarde? Es mi cumpleaños y querría ________ en la fiesta todos los de la clase.
4. A mí me interesaría mucho ________ a jugar bien al ajedrez. ¿Quién me puede enseñar?
5. A mi amiga mexicana le encantaría ________ bien mi idioma y a mí me interesaría ________ ella el suyo, por eso estamos pensando en hacer un intercambio este verano.

3 **Completa las frases.**

1. A mi madre le gustaría ________
2. A mi hermana pequeña le encantaría ________
3. A mí me interesaría ________
4. A mis amigos les encantaría ________.
5. A mis profesores les gustaría ________

notas

4 Estos son muy buenos amigos, pero no son iguales. A cada uno le interesan actividades diferentes. Lee las descripciones y haz frases como en el ejemplo.

Enrique: Quiere formar un equipo de fútbol con sus amigos. Este fin de semana quiere hacer excursiones al campo. No le gusta pasar el tiempo charlando.

Susana: Le gusta mucho hablar con sus amigos de lo que pasa en el mundo. No le gusta el deporte, prefiere actividades más tranquilas. Este fin de semana quiere ir al cine.

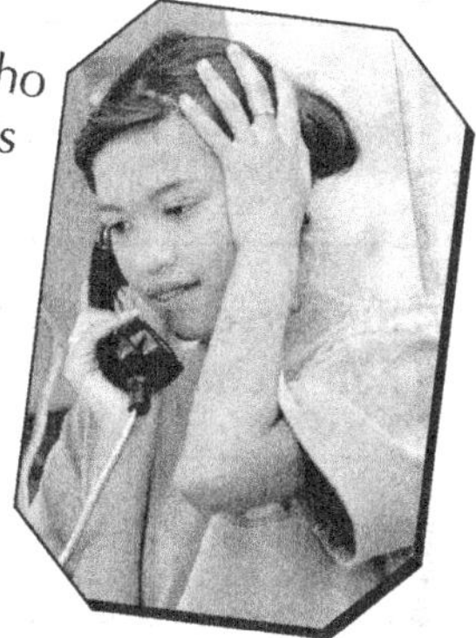

Braulio: Le gusta mucho jugar al ajedrez. Quiere organizar un torneo en la escuela, pero sus amigos no saben jugar. Le gusta mucho la música clásica.

Margarita: Este fin de semana sus padres le dejan hacer una fiesta en su casa. Quiere invitar a todos su amigos. Le encanta la música pop y rock, para bailar.

A Enrique le gustaría que sus amigos jugaran en su equipo de fútbol, pero a Susana no le gusta nada el deporte.

Anastasio: Quiere organizar un club de escritores. Le gusta leer y escribir poemas. Su idea es hacer debates sobre lo que escriben los miembros del club.

Inter-acción

1 Vamos a organizar un club en la clase. Elige uno:

- Equipo de .... (un deporte)
- Fans de .... (cantante o grupo)
- Club de escritores
- Otro: ....
- Grupo de música .... (tipo de música)

2 Ahora escribe una frase en la que justificas tu elección:

A mí me gustaría que .... porque ....

3 Vamos a debatir en clase. Tenemos que llegar a un acuerdo. Propón tu idea y justifícala. Escucha la de los demás y respóndeles.

notas

Usos de Lo		
Valorar una cualidad	**Lo** + adjetivo o adverbio	***Lo mejor*** *es ir de excursión al campo.*
Referirse a un tema	**Lo de** + sustantivo o Infinitivo	***Lo de*** *ir de excursión me parece una buen idea. Lo otro, no.*
Referirse a lo que otros han dicho	**Lo de que** + verbo	*Es verdad,* ***lo de que*** *vayamos todos el sábado al campo está muy bien.*
Referirse a algo conocido	**Lo que** + verbo	*Me parece muy interesante* ***lo que*** *habéis dicho.*

1 Para destacar una cualidad de alguien o algo utilizamos *Lo* + adjetivo. Haz frases como en el ejemplo.

1. Matías, muy simpático. — **No sabes lo simpático que es Matías.**
2. Isabel, generosa. — No te puedes imaginar
3. Antonio, activo. — No veas
4. Maribel, estudiosa — No sabes
5. *Shrek* 2, divertida. — No veas
6. El partido de fútbol, emocionante. — No te puedes imaginar
7. El examen, difícil. — No veas
8. Este disco, caro. — Ya verás

2 Piensa en dos compañeros de clase y escribe lo más te gusta de ellos.

Lo que más me gusta de Andreas es lo buen amigo mío que es.

3 Lee estas frases y da tu opinión sobre dos de ellas.

Las clases van a ser de grupos más pequeños, como máximo 10 estudiantes.

Van a suprimir los exámenes en este instituto.

Los libros van a ser gratis.

Las vacaciones van a ser más largas.

El director del instituto os va a acompañar de viaje de fin de curso.

Lo de suprimir los exámenes me parece muy bien, porque...

notas

4 **Completa las frases con *Lo, Lo de, Lo de que* o *Lo que*.**

1. A mí me parece muy bien ______ no hacer deberes en casa. Es mejor hacerlos en clase.
2. ______ has dicho de Juan no es verdad.
3. Me encanta ______ buena persona que eres.
4. No te puedes ni imaginar ______ importante que es aprender idiomas.
5. Pues a mí ______ tengamos que pasar un examen final no me gusta nada.
6. ______ he visto esta mañana ha sido increíble.
7. Dice Alberto que ______ la fiesta en su casa es imposible. Sus padres no le dejan.
8. Es verdad ______ perdimos el partido de ayer, pero no es verdad ______ fue culpa mía.
9. José no sabe ______ pasó ayer.
10. ______ gracioso de la película es que al final no se sabe quién es el malo.

5 **Se utiliza *Lo de que* + Indicativo, cuando nos referimos a una opinión dicha por alguien, y *lo de que* + Subjuntivo, cuando nos referimos a una propuesta para hacer algo. Completa las frases con el verbo en la forma correcta.**

1. A mí lo de que este fin de semana ______ (ir, nosotros) de excursión me apetece mucho.
2. No creo que sea verdad lo de que el instituto no ______ (poder) ayudarnos a organizar una fiesta.
3. Me preocupa lo de que ______ (haber) cada vez más contaminación.
4. Nos parece muy bien lo de que se ______ (organizar) nosotros actividades extraescolares.
5. Me parece divertido lo de que ______ (hacer, nosotros) una tómbola.
6. El profesor ha repetido lo de que mañana no ______ (haber) clase.

Inter-acción

1 **Vamos a hacer propuestas para mejorar las clases. Escribe las ideas que se te ocurran.**

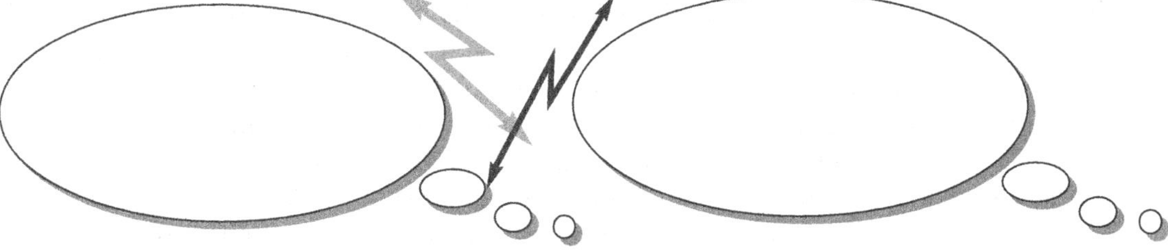

2 **Ahora todos ponemos en común las ideas que hemos pensado y las escribimos en la pizarra.**

3 **Elige cuatro ideas, dos que te gusten y dos que no y escribe tu opinión.**

4 **La clase entera tiene que ponerse de acuerdo en algunas ideas. Discútelas con tus compañeros.**

unidad 4

Con & Texto

1. **¿Qué sueños tienes? ¿Qué es lo que te gustaría llegar a ser?**

2. **¿Crees que soñar es bueno o no? Justifica tu respuesta.**

3. **Aquí tienes un texto que habla de los sueños. Léelo.**

SOÑAR: LA CARACTERÍSTICA COMÚN DE TODOS LOS GRANDES TRIUNFADORES

Detrás de toda historia de verdadero éxito hay un gran soñador. Los grandes triunfadores son expertos en crear en su mente un futuro tan apasionante e inspirador que tira de ellos como un gigantesco imán. Objetivos gigantes producen una motivación gigantesca.

Vamos a hacer una lista de todo lo que te gustaría conseguir en tu vida. Nos basaremos para ello en cuatro categorías:

1.-Objetivos de desarrollo personal.
2.-Objetivos de carrera, de negocios y económicos.
3.-Objetivos de compras y aventuras.
4.-Objetivos de contribución.

Vamos a soñar para superar nuestras limitaciones. Lo que te propongo es soñar con lo que te gustaría conseguir en tu vida sin limitaciones. Vamos a divertirnos un rato. Escribe todo lo que se te ocurra en cada categoría.

Con cada uno de esos cuatro sueños vamos a aplicar mi proceso de siete pasos para cristalizar objetivos:

Paso número 1.- Definir por qué deseas lo que has pensado: ¿Porqué quiero alcanzar este objetivo? La respuesta a esta pregunta es vital ya que sin un porqué poderoso no alcanzarás ningún objetivo que te propongas.

Paso número 2.- Analizar el punto de partida y describir las dificultades. Haz una lista de todos los obstáculos que se encuentran entre tú y tu objetivo.

Paso número 3.- Identificar lo que necesitas aprender o dominar.

Paso número 4.- Buscar personas o recursos que te pueden ser útiles para lo que quieres.

Paso número 5.- Diseñar un plan de acción.

Paso número 6.- No abandonar jamás. No permitas jamás que nadie robe tus sueños.

Paso número 7.- Haz algo inmediatamente que te ponga en movimiento. En este preciso instante toma una acción, por pequeña que sea.

Recuerda que este es un proceso continuo. Tan pronto como consigas un sueño, ponte otro nuevo todavía mayor. No olvides que el éxito está siempre en el camino, nunca en el destino. Disfruta del camino y alcanzarás la verdadera felicidad.

notas

4 Marca si es verdadero (V) o falso (F).

	V	F
1. Soñar no deja que nos centremos en los objetivos de la vida.	❒	❒
2. Hay grandes personajes que consiguieron lo que querían a partir de sus sueños.	❒	❒
3. Ante un gran objetivo, es posible que te sientas agobiado y que no sirva para nada.	❒	❒
4. Los objetivos más grandes hacen que las acciones sean más grandes.	❒	❒
5. Después de pensar en tus sueños tienes que seguir unos pasos.	❒	❒
6. No son importantes los plazos, sólo los sueños.	❒	❒
7. No tienes que dejar de soñar.	❒	❒

5 **Organiza los pasos según el texto.**

- ❒ No dejar que nadie me cambie los sueños.
- ❒ Describir la situación actual.
- ❒ Escribir los sueños.
- ❒ Buscar otro sueño.
- ❒ Pensar en los inconvenientes.
- ❒ Ponerme en marcha.
- ❒ Pensar los plazos.
- ❒ Pensar en lo que necesito.

6 **A) Ahora escribe tus sueños:**

1. Objetivos de desarrollo personal: ¿Qué te gustaría aprender? ¿Qué rasgos de tu carácter te gustaría mejorar? ¿Quién quieres llegar a ser? ¿Cómo te gustaría ser recordado por tus seres queridos?...
2. Objetivos de carrera, de negocios y económicos: ¿Cuánto dinero te gustaría llegar a ganar? ¿Qué profesión te gustaría tener cuando termines tus estudios? ¿Te gustaría crear tu propia empresa?
3. Objetivos de compras y aventuras: ¿Qué te gustaría tener? ¿Qué viajes te gustaría hacer? ¿Qué aventuras te gustaría poder realizar? ¿Qué aficiones te gustaría practicar?
4. Objetivos de contribución: ¿Cómo podrías contribuir a ayudar a otras personas? ¿A qué obra benéfica podrías dedicar parte de tu tiempo?

B) Ponles plazo y elige de cada objetivo el que sea más cercano. Indica cuándo. Piensa en lo que necesitarías. Escribe lo que tendrías que hacer. Por último indica qué vas a hacer para empezar a conseguirlo.

Lo que me gustaría es...	Me gustaría que se cumpliera dentro de...	Para ello necesito...	Puedo hacer...	Para ponerme en marcha voy a...

Buena suerte con tus sueños.

Unidad 4

LECCIÓN 8

Oponer, corregir y reforzar informaciones		
OPONER	No ... sino (que)	*No, no es verdad. Mi equipo **no** es el campeón de la liga, **sino** el segundo.*
CORREGIR	En cambio Sin embargo	*Todos los años participo en un equipo de baloncesto. Este año, **en cambio**, voy a jugar en uno de balonmano.*
REFORZAR	Es más	*Yo soy muy buen estudiante. **Es más**, soy el mejor de la clase.*

1 **Juego de las diferencias. Encuentra 7 diferencias entre los dos dibujos y explícalos.**

1. **En el de la derecha es un equipo de fútbol de chicos. En el de la izquierda, en cambio, son chicas.**
2.
3.
4.
5.
6.
7.

2 **Transforma las frases como en el ejemplo.**

1. Este coche es muy grande. El otro, en cambio, es más pequeño, pero corre más.
   Este coche es muy grande. Sin embargo, el otro es más pequeño, pero corre más.
2. Mi hermano es mayor que yo. El de Daniel, en cambio, es más pequeño.
3. A mí las películas históricas no me gustan nada. Sin embargo, las de acción me gustan mucho.
4. Yo prefiero jugar a algo con mis amigos. Ellos, en cambio, prefieren ir al cine hoy.

3 **Forma frases.**

1. A Juan no le gusta chatear. Es a Pedro. **No es a Juan a quien le gusta chatear, sino que es a Pedro.**
2. No hemos ganado el partido. Hemos perdido.
3. No juega muy bien al fútbol. Juega al baloncesto.
4. Su mejor amigo no se llama Andrés. Se llama Andreas.
5. No ha sacado un sobresaliente en el examen. Ha sacado un notable.
6. No llega mañana de México. Vuelve hoy.

notas

4 Completa las frases con *pero* o con *sino*.

1. Marisa es muy simpática, ________ un poco tímida.
2. No es antipático ________ un poco tímido, por eso parece distante.
3. No juega muy bien al tenis, ________ al *squash*. Estás equivocado.
4. Esta película es muy buena, ________ yo prefiero la otra.
5. No es verdad que Arturo tenga dos hermanas, ________ que tiene un hermano y una hermana.
6. Si tus padres te dan permiso, ven a dormir a mi casa. ________, si no te dejan, ven sólo a pasar la tarde.
7. No me dejan ir sólo de excursión, ________ que me dejan ir con mi hermano mayor.
8. No me gustan los helados de fresa, ________ los de limón.

5 Elige la opción más adecuada.

1. A mí los libros de Harry Potter me gustan mucho. **En cambio / Es más / Sino que**, los tengo todos.
2. A mí las películas de terror no me gustan. Las de suspense, **en cambio / es más / sino que**, me encantan.
3. No se van de excursión este fin de semana, **en cambio / es más / sino** el que viene.
4. Eduardo es muy buen amigo de Verónica. **En cambio / Es más / Sino que**, es su mejor amigo.
5. Ella no se llama Ana, **en cambio / es más / sino que** se llama Celia.
6. Este balón es de fútbol. El otro, **en cambio / es más / sino que**, es de baloncesto.
7. No quiero ir contigo sólo, **en cambio / es más / sino que** prefiero ir con todos.
8. Tiene muchos amigos. **Es más / Sino que / Sin embargo** no tiene ninguna amiga.

Inter-acción

Vamos a jugar a ver quién sabe más cosas de España. Contesta a las preguntas. Si no sabes alguna respuesta, escribe cualquier respuesta que se te ocurra.

Alumno A	Alumno B
1. ¿Dónde está Barcelona?	1. ¿Dónde está Bilbao?
2. ¿Cuál es la capital de España?	2. ¿Cuántas lenguas se hablan en España?
3. ¿Dónde están las Islas Canarias?	3. ¿Dónde están las Islas Baleares?
4. ¿Cuál es la comida típica española?	4. ¿Quién escribió *El Quijote*?
Las respuestas de tu compañero:	**Las respuestas de tu compañero:**
1. En el norte de España, junto al mar Cantábrico.	**1. En el noroeste de España, cerca de la frontera con Francia.**
2. Se hablan cuatro lenguas: el español, el catalán, el gallego y el vasco.	**2. Madrid, que está en el centro del país.**
3. Están en el mar Mediterráneo, cerca de Córcega y Cerdeña.	**3. Están en el océano Atlántico, junto a las costas de Mauritania.**
4. Miguel de Cervantes, en 1505.	**4. La paella, que es un plato de arroz, pescado, verduras y carne.**

2 Escucha las respuestas de tu compañero. Si no con correctas, corrígele. Si son correctas, refuerza su respuesta dándole más información.

notas

Comparativos y superlativos			
		Adjetivo	Ejemplo
Comparativos de superioridad e inferioridad	**Inferior**	**Más bajo**	*Mi hermano está en un curso **inferior**.*
	Mayor	**Más grande**	*Esta es mi hermana **mayor**. Tiene dos años más que yo.*
	Mejor	**Bien / Más bueno**	*Ana es mi **mejor** amiga.*
	Menor	**Más pequeño**	*Y este es mi hermano **menor**. Sólo tiene 12 años.*
	Peor	**Mal / Más malo**	*Roberto es el **peor** jugador del equipo.*
	Superior	**Más alto**	*Yo ya estoy en el curso **superior**. El año que viene estaré en la universidad.*
Comparativos de igualdad		**Tan** + adjetivo **como** **Tanto(a, os, as)** + sustantivo + **como** **Tanto como**	*Juan es **tan** alto **como** Alberto.* *Elena tiene **tantos** amigos **como** Rosaura.* *El baloncesto me gusta **tanto como** el balonmano.*
Superlativos	**-ísimo**	**Muy** + adjetivo	*Son unos chicos simpatiqu**ísimos**.*

1 **Forma los superlativos de estos adjetivos.**

bueno **inteligente** **guapo** **simpático** **difícil** **actual** **divertido** **moderno** **malo**

2 **Algunos superlativos cambian un poco la forma del adjetivo. Relaciona el adjetivo con su superlativo.**

1. agradable 2. amable 3. antiguo 4. fiel 5. largo 6. rico

a. amabilísimo **b. riquísimo** **c. larguísimo** **d. antiquísimo** **e. fidelísimo** **f. agradabilísimo**

3 **Responde a las preguntas.**

1. ¿Qué es lo contrario de *muy corto*? 
2. ¿Qué es lo contrario de *muy grande*?
3. ¿Qué significa lo mismo que *muy malo*?
4. ¿Qué es lo contrario de *superior*?
5. ¿Qué es lo mismo que *menor*?
6. Qué significa *peor*?
7. ¿Qué es lo contrario de *mejor*?
8. ¿Qué es lo contrario de *mayor*?

4 **Responde a estas preguntas.**

1. ¿Cuál es el curso inferior al tuyo?
2. ¿Cómo se llama el compañero de clase menor?
3. ¿Quién es el mayor de la clase?
4. ¿Quién es tu mejor amigo?

5 **Escribe frases con comparativos de igualdad.**

1. Antonio tiene tres sobresalientes y dos notables. Verónica también tiene tres sobresalientes y dos notables.
   Antonio tiene tantos sobresalientes y notables como Verónica.
2. Juan tiene dos hermanas. Irene también tiene dos hermanas.
3. A Marisa le gusta muchísimo jugar al tenis. A Borja también.
4. Jacobo mide un metro setenta. Gustavo mide un metro setenta.
5. Este videojuego cuesta 60 €. Este otro cuesta 60 €.
6. Yo tomo muchos batidos de chocolate. Jorge también.
7. Hoy he dormido mucho. Mi hermano también.

6 **Observa este dibujo y compara a estas dos personas.**

El de la derecha es mayor que el de la izquierda.

Inter-acción

1 **Lee este texto y responde a las preguntas.**

Yo me llamo María. En mi familia somos tres hermanas. Yo soy la hermana mayor. La siguiente es mi hermana Luisa, está en dos cursos inferiores al mío. La menor se llama Elena. Mi mejor amiga es Celia, una compañera de clase. Para mí la asignatura mejor es español, porque me gusta mucho la lengua. La peor es matemáticas, porque no se me dan muy bien los números.

1. ¿Quién es Luisa?
2. ¿Quién es Elena?
3. ¿Y Celia?
4. ¿Qué piensa de la clase de español?
5. ¿Y de la de matemáticas?

2 **a. Ahora escribe un párrafo describiéndote a ti mismo, tu familia, tus amigos, tus asignaturas favoritas y tus aficiones favoritas.**

b. Habla con tu compañero e infórmate de su familia, sus amigos, tus asignaturas favoritas y sus aficiones favoritas.

unidad 4

Con & Texto

notas

1. **¿Cuáles son tus aficiones favoritas en tu tiempo libre? Organiza estas actividades de más (10) a menos (0).**

- ❒ Hacer deporte.
- ❒ Leer libros y cuentos.
- ❒ Ver la televisión.
- ❒ Pintar y dibujar.
- ❒ Charlar con tus amigos.
- ❒ Escribir.
- ❒ Jugar con tu ordenador o con tus juegos electrónicos.
- ❒ Bailar y cantar.
- ❒ Hacer manualidades.
- ❒ Ir al cine.

2. **De tu mayor afición, piensa cuál ha sido la mejor experiencia que has tenido y explícala.**

3. **Lee este foro y participa en él. Describe tu afición favorita, lo mejor y lo peor de ella.**

El foro de tus aficiones. Entra y encuentra a personas con tus mismas aficiones.	
Irene	A mí me gusta hacer muchas cosas, pero quizás mi mayor afición es jugar con mis mejores amigas a cualquier cosa. Me gusta estar con ellas y pasar el tiempo juntas. Lo mejor, no necesitamos nada, solo estar juntas. Lo peor, que a veces no sabemos qué hacer.
Miguel	A mí, sobre todo, me encanta no hacer nada. Pasarme horas y horas delante de la tele viendo mis programas favoritos. Me río mucho. Lo mejor, en la tele hay muchos programas diferentes y puedo elegir el canal que más me gusta. Lo peor, mis padres no me dejan ver toda la tele que quiero.
Nuria	Me gusta casi todo: tocar la guitarra, leer, jugar con el ordenador, el deporte. Pero si tengo que decir cuál es afición favorita, creo que soy sincera al decir que el baloncesto. Juego en un equipo femenino de mi instituto. Practicamos uno o dos días a la semana. Lo mejor, que mi equipo gana muchos partidos. Lo peor, que a veces nos gana el equipo contrario y eso me molesta mucho, me enfado.
Carlos	Pues a mí, en cambio, me gustan más las actividades intelectuales. Me gusta leer, escribir, hablar con mis amigos y amigas. Mi libro favorito es *El señor de los anillos.* Lo he leído varias veces y he visto la película. Colecciono fotos, muñecos y todo lo que sale. Lo mejor, que me lo paso muy bien. Lo peor, que mi hermano menor usa mis cosas y me las pierde.
Jorge	Yo también colecciono, pero no cosas de libros. Mi colección, en cambio, es de futbolistas. Me encanta el fútbol. Soy del Real Madrid, el mejor equipo. Lo mejor, cuando en la tele ponen un partido y gana el Madrid. Lo peor, nada.
Gemma	A mí me gusta bailar. Estoy en un grupo y todos los miércoles nuestra profesora nos enseña nuevos bailes y pasos. Durante el fin de semana entreno con Laura, mi hermana mayor. A final de curso hacemos una exhibición delante de nuestros padres y familiares. Lo mejor, que me encanta. Lo peor, que me da un poco de corte bailar delante de tanta gente.
Tú	

notas

4 ¿A quién crees que corresponden estas frases?

1. Tiene muy mal genio. Es más, cuando pierde su equipo, se enfada con todo el mundo.
2. No es que sea vago, es que le divierte mucho hacer lo que hace, se ríe mucho.
3. Es un poco tímida y le da vergüenza. Sin embargo, actúa delante de muchas personas.
4. No se lleva muy bien con su hermano menor y, sin embargo, le deja jugar con él.
5. Le gusta estar con sus amigas. Sin embargo, a veces, se aburren.
6. Es el mayor fan del Real Madrid, el mejor equipo del mundo, según él.

1 2 3 4 5 6

5 **Elige uno de los 6 participantes del foro y escríbele un correo electrónico contestando a su mensaje.**

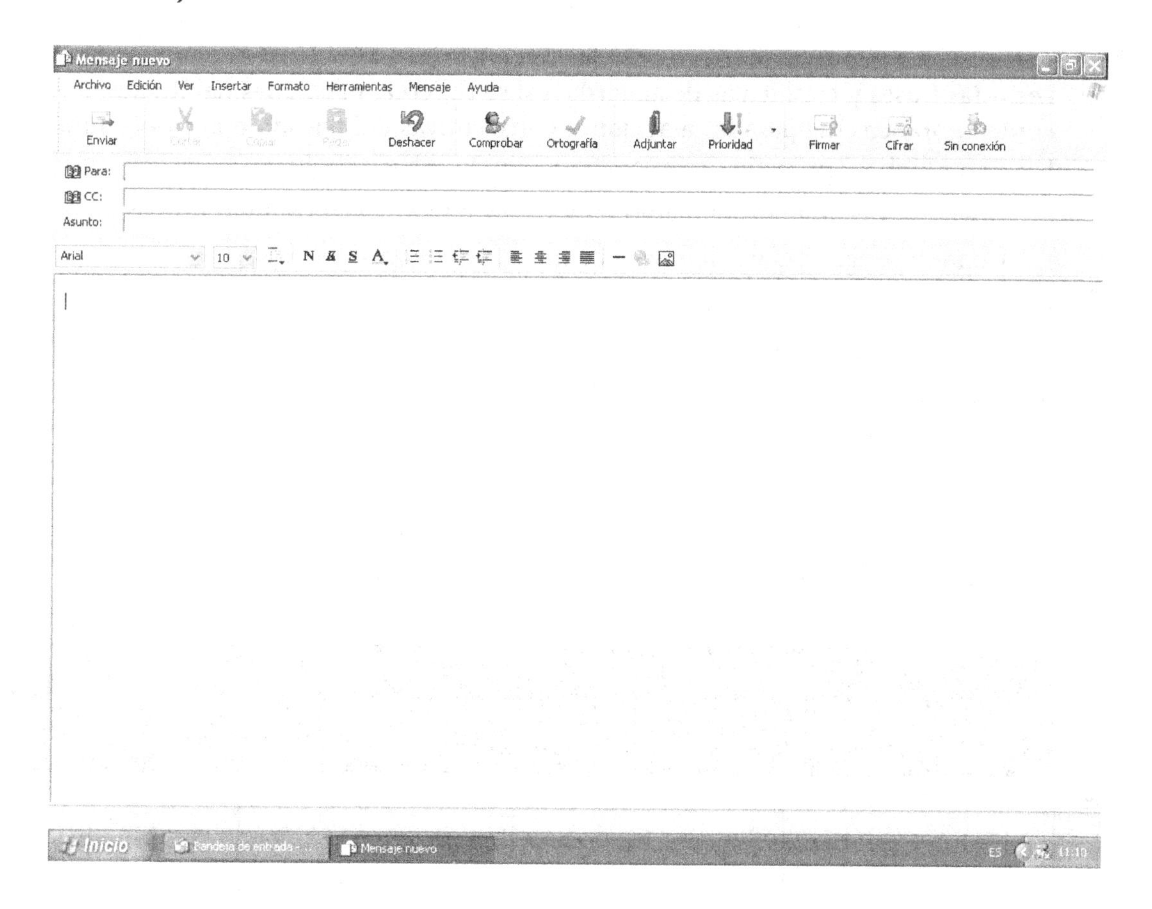

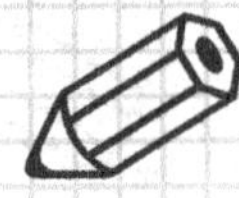

unidad 5

LECCIÓN 9

Cuando		
Cuando + Presente de Indicativo	Referirse a acciones habituales.	***Cuando*** *termina la clase, me voy a casa a merendar.*
Cuando + Imperfecto de Indicativo	Referirse a un hecho contemporáneo a otro	***Cuando*** *era pequeño, no podía salir con mis amigos. Ahora sí.*
Cuando + Indefinido	Referirse a un acción posterior a otra.	***Cuando*** *supe que había aprobado, me puse muy contento.*
Cuando + Presente de Subjuntivo	Referirse a un hecho futuro.	***Cuando*** *termine el curso, me iré de vacaciones a la playa.*

1 **Lee estas frases y clasifícalas de acuerdo a si se refieren a acciones habituales, acciones contemporáneas del pasado, a acciones consecutivas del pasado o acciones futuras.**

1. Cuando iba a primaria, mi asignatura favorita era el dibujo.
2. Cuando no sé qué hacer, llamo a mi mejor amigo y vamos a dar un paseo.
3. Cuando vengan las vacaciones, me iré a casa de mis abuelos.
4. Cuando la vi por primera vez, me enamoré de ella.
5. Cuando tenga tiempo, iré a verte.
6. Cuando terminó el partido, fui con mis amigos a celebrar que habíamos ganado.
7. Cuando termino los deberes, juego en Internet para descansar.
8. Cuando tenía 14 años, me cambié de colegio.
9. A mí me gusta mucho ir a nadar cuando hace calor.
10. Una vez mi mejor amigo se enfadó conmigo cuando se me olvidó felicitarle por su cumpleaños.

Acciones habituales	Acciones contemporáneas pasadas	Acciones consecutivas pasadas	Acciones futuras

notas

2 **Completa con el verbo en la forma correcta.**

1. En el colegio, cuando ________ (ser) niño, me sentaba en el mismo pupitre de mi amigo Peter. Desde entones somos los mejores amigos.
2. Ayer estaba tan cansado que, cuando ________ (llegar) a casa, me eché una siesta.
3. Tengo muchas ganas de volver a verte, por eso voy a pedirles a mis padres que, cuando ________ (tener) vacaciones, me dejen ir a visitarte.
4. Dicen que van a poner la película de *Shrek 2* en la tele, por eso, cuando la ________ (poner), pienso verla.
5. Cuando empezó el curso, ________ (decidir) que tenía que estudiar mucho para poder terminar mis estudios bien.
6. Cuando voy a clase, siempre ________ (pasar) por delante de su casa y la ________ (recoger).
7. Sí, es verdad, cuando era más joven, no me ________ (gustar) hacer deporte. Pero ahora me encanta.
8. Cuando entró el profesor en clase, todos ________ (saber) que ese día nos iba a hacer un examen sorpresa. Se le notaba en la cara.

3 **¿Indefinido o Imperfecto? Recuerda que se utiliza el Indefinido para expresar acontecimientos pasados y el Imperfecto para explicar las situaciones o para hablar de acciones habituales pasadas. Completa el texto con el verbo en la forma correcta.**

Yo ________ (conocer) a mi mejor amigo cuando ________ (estar) en la primaria. Yo ________ (estar) sentado en la última fila cuando ________ (llegar) a clase. ________ (Ser) su primer día en la escuela y se ________ (sentar) conmigo, porque no ________ (haber) otro asiento libre. Cuando se ________ (sentar), le ________ (preguntar) el nombre. Entonces me ________ (dar) cuenta que ________ (ser) muy tímido. Cuando ________ (bajar) al recreo, ________ (estar) hablando con él y ________ (descubrir) que ________ (tener) muchas cosas en común. Desde entonces nos sentamos siempre juntos y nos lo pasamos muy bien. Creo que somos los mejores amigos del mundo.

4 **Y tú, ¿cómo conociste a tu mejor amigo? Escribe un párrafo.**

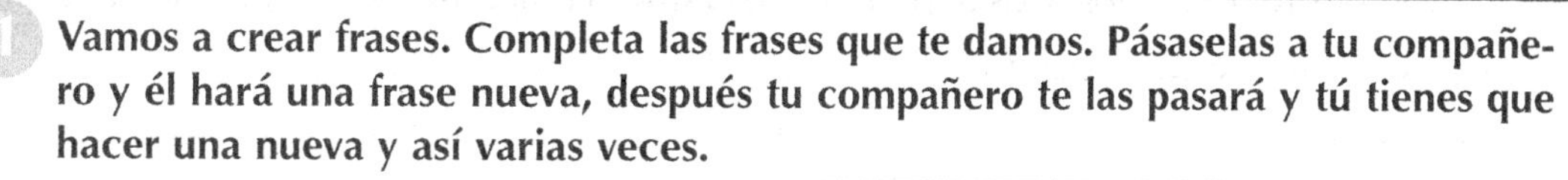

Inter-acción

1 **Vamos a crear frases. Completa las frases que te damos. Pásaselas a tu compañero y él hará una frase nueva, después tu compañero te las pasará y tú tienes que hacer una nueva y así varias veces.**

Cuando termine el curso... Tú: cuando termine el curso, me iré de vacaciones.
Tu compañero: cuando me vaya de vacaciones, me bañaré en la playa. Tú: cuando me bañe en la playa...

- Cuando termine el curso...
- Cuando era pequeño...
- Cuando conocí a mi mejor amigo...
- Cuando estoy en casa....
- Cuando esté en la universidad...

Espresar relaciones temporales en el futuro	
Antes de + Infinitivo ***Antes de que*** + Presente de Subjuntivo	***Antes de ver*** *la televisión, termina tus deberes.* ***Antes de que*** *me vaya, tienes que terminar tus deberes.*
Cuando + Presente de Subjuntivo	***Cuando*** *tenga un examen, estudiaré mucho.*
En cuanto + Presente de Subjuntivo	***En cuanto*** *termine este ejercicio, pasaré al siguiente.*
Después de + Infinitivo ***Después de que*** + Presente de Subjuntivo	***Después de*** *cenar, veré mi programa favorito.* ***Después de que*** *termine mi programa, me iré a la cama.*
Hasta que + Subjuntivo	***Hasta que*** *no me sepa la lección, no dejaré de estudiar.*

1 **Cuando el sujeto de las dos oraciones es el mismo, se utiliza *antes de* o *después de* + Infinitivo. Cuando el sujeto de las dos oraciones es distinto, se utiliza *antes de que* o *después de que* + Subjuntivo. Completa las frases con el verbo en la forma adecuado y *que* si es necesario.**

1. Hijo, antes de ______ (comer), lávate las manos.
2. Nosotros cenaremos antes de ______ (empezar) el partido de fútbol.
3. Nos levantaremos muy temprano y, antes de ______ (salir) el sol, saldremos de casa para llegar pronto.
4. Nos dirán las notas después de ______ (hacer) nosotros el examen.
5. Después de ______ (salir) de clase, me iré a casa de mis abuelos.
6. El profesor ha dicho que es probable que, después de ______ (terminar) el curso, podamos hacer un intercambio con estudiantes de otro instituto en España.
7. Juan no viene con nosotros al cibercafé, tiene que estudiar. Se encontrará con nosotros a la salida, después de ______ (escribir) una redacción que tiene que hacer.
8. La idea es ir al gimnasio después de ______ (venir) Juan.

2 **Elige la opción adecuada.**

1. Mi madre me dice que hoy vuelva directamente a casa **antes de que /en cuanto** termine las clases. Así que no me puedo entretener.
2. Yo ya sé que he aprobado el examen **antes de que /mientras** nos dé las notas el profesor. Lo hice muy bien.
3. No podré ir con vosotros al parque **hasta que /en cuanto** no termine de hacer mis deberes. Estoy muy retrasado.
4. Para este trabajo, tenemos que dividirnos la tarea. Mira, te propongo que **después de que /mientras** yo voy haciendo el resumen de este libro, tú puedes ir buscando esta información en la enciclopedia.
5. Como no tienes prisa por leer este libro, te lo dejaré **antes de que /después de que** lo haya leído. ¿Te parece?
6. **Antes de que /Hasta que** no venga María, no nos podemos ir. Tenemos que esperarla.

notas

Expresar relaciones temporales en pasado		
Antes de + Infinitivo ***Antes de que*** + Imperfecto de Subjuntivo	Se refiere al tiempo anterior a un hecho.	***Antes de*** *terminar los deberes, llamé a mi hermano mayor para que me ayudara.*
Mientras + Indicativo	Presentan un hecho como contemporáneo de otro.	***Mientras*** *el profesor iba explicando la gramática, yo iba tomando notas.*
En cuanto + Indicativo	Presenta un hecho como inmediatamente posterior a otro.	***En cuanto*** *terminó la clase, llamé a mi amigo para decirle que al día siguiente teníamos un examen.*
Después de + Infinitivo ***Después de que*** + Imperfecto de Subjuntivo	Se refiere al tiempo posterior a un hecho.	***Después de*** *hacer deporte, me tomé un refresco porque tenía mucho calor.* ***Después de que*** *supiera la nota, llamé a mis padres para decírselo.*
Hasta que + Indicativo	Indica el final de una acción.	***Hasta que*** *supe la nota, estaba muy nervioso.*

3 **Une las frases para formar una sola.**

1. Estaba estudiando. Vino Jesús. Mientras
   Mientras estaba estudiando, vino Jesús.
2. Te llame. Supe que al día siguiente había un examen sorpresa. En cuanto.
3. No empezó el partido. Llegó el equipo contrario. Hasta que no.
4. En la fiesta de mi cumpleaños yo fui decorando la sala. Mi madre hacía los sandwiches. Mientras.
5. No supo que le habíamos organizado una fiesta sorpresa. Llegó a casa. Hasta que.
6. Acompañé a mi prima. Estuvo en mi ciudad. Mientras.
7. Me llamó para decirme que estaba enfermo. Fui a verle. En cuanto.
8. Quise estar en la estación. Llegara el tren. Antes de que

Inter-acción

1 **Imagina que vamos a organizar una fiesta con tus compañeros. Organiza las actividades. Utiliza *antes de, después de, mientras, en cuanto* y *hasta que*.**

- **Comprar bebida.**
- **Pedir permiso a los padres.**
- **Decorar la casa.**
- **Llamar a los amigos.**
- **Poner platos y vasos.**
- **Poner sillas para todos.**
- **Buscar música.**
- **Buscar un equipo de música.**
- **Preparar unos bocadillos.**
- **Recoger la casa.**

Unidad 5
Con & Texto

notas

1 **Estás a punto de terminar tus estudios en el instituto. ¿Has pensado qué vas a hacer? Explica tus proyectos para cuando acabe el curso.**

2 **Dos chicos que acaban de terminar el curso, explican cómo se sienten como preuniversitarios. Lee lo que dicen.**

LA CENA DE ANTIGUOS ALUMNOS...

Después de los últimos exámenes, el viernes fue el fiestón del instituto para los chic@s que salimos al fin de él (o por lo menos eso creemos). Me sorprendió cuando vi a mis compañeros y a mí mismo de traje, con una vestimenta que no había tenido el placer de ponerme hasta que llegó este día tan señalado.

Después de la fiesta, esta mañana, he inaugurado la temporada playera, el agua estaba muy bien e intentaré repetirlo todos los días hasta que tenga que empezar la universidad. Esto de la vida de preuniversitario es un lujo que no se suele repetir muchas veces en la vida, supongo que hasta los 65.

Como preuniversitario tengo la esperanza de quitarme el prefijo ese tan bonito, por eso me he dirigido hoy a la biblioteca, pero como esta mañana ha sido algo ajetreada pues me he quedado dormido y, cuando me he despertado, y he salido a la biblioteca, ya eran las 7:00 y cierran a las 7:45, una vergüenza vamos, ni he entrado.

En fin mañana será otro día, quizás ahora escriba más a menudo, así practico el comentario crítico.

(0) Comentarios

8:13 PM jueves, mayo 27, 2004

LA VIDA DE UN PREUNIVERSITARIO

Ahora que soy preuniversitario llevo una vida de lo más relajada y es que simplemente me dedico a hacer deporte y dormir, yo no me quiero imaginar cuando sea universitario del todo cómo será. Mientras los estudiantes de curso inferiores, siguen el clase, yo puedo descansar y prepararme para el próximo año. Por fin en la universidad.

Tengo todo el verano para hacer muchas cosas hasta que empiece el curso. Lo sé. Hoy he llevado a mi hermano pequeño a dar una vuelta con la bicicleta y me ha resultado bastante gratificante. Antes de salir, le he dado algunas orientaciones, que no saliera a la carretera, que fuera prudente, y me he sentido como un completo adulto.

A partir de ahora tengo que empezar a tomar decisiones serias sobre mi vida y lo voy a hacer, os lo prometo :).

Ya os contaré...

(0) Comentarios

12:20 PM jueves, mayo 20, 2004

notas

3 Indica qué actividades han realizado desde que son preuniversitarios.

....
....
....
....
....
....

4 ¿Cómo se sienten como preuniversitarios? ¿Por qué?

❒ Preocupados por su futuro.
❒ Relajados.
❒ Curiosos por saber cómo será su próxima etapa.
❒ Inquietos por elegir la carrera.
❒ Trabajadores, con ganas de hacer cosas.
❒ Vagos por haber estudiado ya mucho.
❒ Otro: ....

5 Localiza esta información en el texto.

1. La vida preuniversitaria es muy cómoda, está muy bien.
2. Se ha puesto una ropa diferente a la normal.
3. Se ha ido a la playa.
4. Quiere estar ya en la universidad.
5. Tiene una vida relajada como preuniversitario.
6. Actúa como un adulto que es.
7. Quiere ser más responsable.

6 Y tú, ¿qué vas a hacer cuando termine el curso? ¿Cómo te imaginas tu futuro? ¿Qué vas a hacer este verano? Escribe un texto como los anteriores:

La vida preuniversitaria / pretrabajador

Unidad 5

LECCIÓN 10

Expresar la causa			
Expresar la causa	**Porque**	+ Indicativo	*Suspendió **porque** no había estudiado mucho.*
Empezar la frase por la causa	**Como**		***Como** no había estudiado mucho, suspendió.*
Excusarse	**Es que**		*Siento llegar tarde. **Es que** el autobús ha llegado tarde.*
Indicar la causa de algo negativo	**Por**	+ Infinitivo /nombre /adjetivo	*No tiene muchos amigos **por** antipático.*

1 **Une las frases como en el ejemplo.**

1. Hoy es viernes. Esta tarde no tengo que hacer deberes.
   Como hoy es viernes, esta tarde no tengo que hacer deberes.
   Esta tarde no tengo que hacer deberes porque hoy es viernes.
2. Está enfermo. Le voy a dejar mis apuntes de clase.
3. Está nublado. Se ha suspendido el partido.
4. No somos once jugadores. Tenemos que buscar más amigos para el equipo.
5. Estamos aburridos. Mis padres nos dejan jugar con el ordenador.
6. Mañana tengo un examen. Hoy no puedo salir con mis amigos.

2 **Elige la opción más adecuada.**

1. Siento llegar tarde. **Como / Es que / Por / Porque** el autobús se ha retrasado.
2. Mauricio suspendió **como / es que / por / porque** ser vago.
3. **Como / Es que / Por / Porque** ha sacado un sobresaliente, sus padres le han hecho un regalo.
4. Perdimos el partido **como / es que / por / porque** no estábamos en forma.
5. **Como / Es que / Por / Porque** estamos en el último curso, tenemos que estudiar mucho.
6. No puedo ir a tu fiesta de cumpleaños. **Como / Es que / Por / Porque** tengo que ir a visitar a mi abuelo.
7. Se ha enfadado con nosotros **como / es que / por / porque** no le dejamos participar en nuestro club.
8. Nadie quiere sentarse en el mismo banco **como / es que / por / porque** antipático.

notas

3. **Inventa excusas.**

1. Un compañero de clase te invita a ir a su casa a merendar y no te apetece:
2. Has llegado tarde a clase y el profesor está un poco enfadado:
3. No tienes los deberes terminados y tu profesor te pregunta por ellos:
4. Tus padres quieren que te quedes esta tarde cuidando a tu hermano pequeño:
5. Un amigo te pide que le acompañes a ver una película aburrida:

4. **Une las frases para formar una sola, como en el ejemplo.**

1. Ha sacado mala nota. Se sabe la asignatura. Es vago y no hace los deberes.
   Ha sacado mala nota, no porque no se sepa la asignatura, sino porque es vago y no hace los deberes.
2. Ganamos el partido. Jugamos bien. El otro equipo era malo.
3. No me gustó la película. La película era divertida. No me gustan las películas de amor.
4. No puedo ir con vosotros. Quiero ir. Tengo que visitar a mi abuelo, que está enfermo.
5. Nos vamos de excursión. No estamos de vacaciones. El jueves es fiesta y hacemos puente.
6. Quiero estudiar Medicina. Mi padre es médico. Me parece una profesión interesante.

Inter-acción

1. **Vamos a organizar una actividad para después de la clase. Elige una y justifica tu elección.**

2. **Ahora propón a tus compañeros hacer la actividad. Intenta convencerlos.**

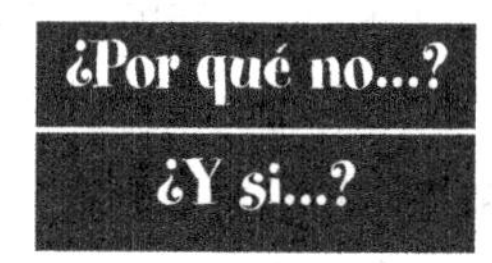

3. **Tus compañeros te van a proponer otras actividades. Pon excusas para no hacerlas.**

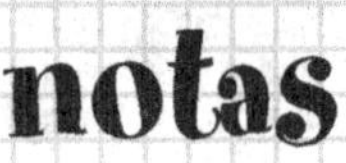

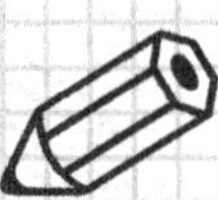

Condiciones referidas al pasado
Si la condición se refiere a algo irreal en el pasado, pero con consecuencias en el presente, usamos: *Si* + Pluscuamperfecto de Subjuntivo + Condicional Simple *Si hubiera estudiado más, ahora me sabría la lección.*
Si la condición se refiere a algo irreal en el pasado que no se pudo realizar, entonces utilizamos: *Si* + Pluscuamperfecto de Subjuntivo + Condicional Compuesto *Si hubiera estudiado más, no habría suspendido el examen.*

1 **Relaciona.**

1. Si me hubieras dicho que querías venir...
2. Si no me hubiera cambiado de colegio...
3. Si hubiera sabido que estabas enfermo...
4. Si hubiera practicado más...
5. Si hubiera desayunado más...

a. ahora no tendría tanta hambre.
b. habría ido a visitarte.
c. podría hacer mejor los ejercicios.
d. te había invitado a mi fiesta.
e. no te habría conocido.

2 **Completa las frases con los verbos en Pluscuamperfecto de Subjuntivo o en Condicional Compuesto.**

1. Si yo no ________ (faltar) a clase ayer, ________ (saber) que el profesor nos iba a hacer una prueba.
2. Si tú me ________ (invitar) a tu fiesta, ________ (ir), pero no lo sabía.
3. Si no me ________ (confundir) de pregunta, ________ (sacar) un sobresaliente en el examen.
4. Yo te ________ (devolver) el libro que me prestaste si lo ________ (terminar) de leer.
5. No te ________ (conocer) si no me ________ (venir) a vivir a esta ciudad.
6. Me ________ (acordarse) de que era tu cumpleaños si no ________ (perder) la agenda, lo siento.

3 **¿Condicional Simple o Compuesto? Elige la opción correcta.**

1. Si me hubiera despertado pronto, no **perdería / habría perdido** el autobús esta mañana.
2. Si no me hubiera peleado con mi hermano, no **estaría / habría estado** castigado ahora.
3. Si no te hubieras ido a vivir tan lejos, ahora **podríamos / habríamos podido** estar juntos.
4. Si hubiera visto a Paco, le **diría / habría dicho** lo del partido.
5. Si hubiera querido ir, **iría / habría ido**, pero no me apetecía.
6. Si hubiera dormido mejor, no **tendría / habría tenido** tanto sueño ahora.

4 **Transforma las frases como en el ejemplo.**

1. Me gustaría ir contigo, pero no puedo porque todavía no he terminado los deberes.
   Si hubiera terminado los deberes, me iría contigo.
2. Quiero comprarme una bici, pero, como he gastado todos mis ahorros, no tengo dinero.
3. No fui a tu fiesta porque no sabía qué día era.
4. No le he llamado porque me he enfadado con él.
5. Hemos perdido el partido porque el equipo ha entrenado poco.
6. Pensaba llegar a la cita, pero me quedé dormido.
7. No me sé la lección porque he estudiado poco.
8. Le mandé un correo electrónico porque me había mandado otro antes.

5 **Estos chicos se hacen reproches. Escríbelos.**

1. He sacado malas notas. — **Si hubiera estudiado más, no habría sacado malas notas.**
2. No tengo dinero para irme de viaje de fin de curso.
3. Mi equipo ha perdido la liga.
4. No sé qué hacer esta tarde, estoy aburrido.
5. Esta película del videoclub no me gusta.
6. He dormido poco y estoy muy cansado.

Inter-acción

1 **Concurso de condiciones. Observa esta imagen y escribe todas las condiciones que se te ocurran. Después lee tus frases a tu compañero y tu compañero te leerá las suyas. Quién haya escrito más, gana.**

notas

Expresar la finalidad	
Para + nombre	*Es mejor hacer los ejercicios todos los días **para** la clase de español.*
Para + Infinitivo	*Es mejor estudiar todos los días **para** sacar buena nota.*
Para que + Presente de Subjuntivo	*Es mejor participar mucho en clase **para que** el profesor vea que me interesa la asignatura.*

1 **Relaciona.**

1. Toma este libro, es para...
2. Te he llamado para...
3. Te he mandado una foto mía para...

a. ...que sepas cómo soy
b. ...ti.
c. ...saber cómo estás.

2 **Se utiliza *para* + Infinitivo cuando el sujeto de las dos oraciones es el mismo. Se utiliza *para que* + Subjuntivo cuando el sujeto es distinto. Observa la frase de este chico, relaciona los verbos con las personas y escribe las frases.**

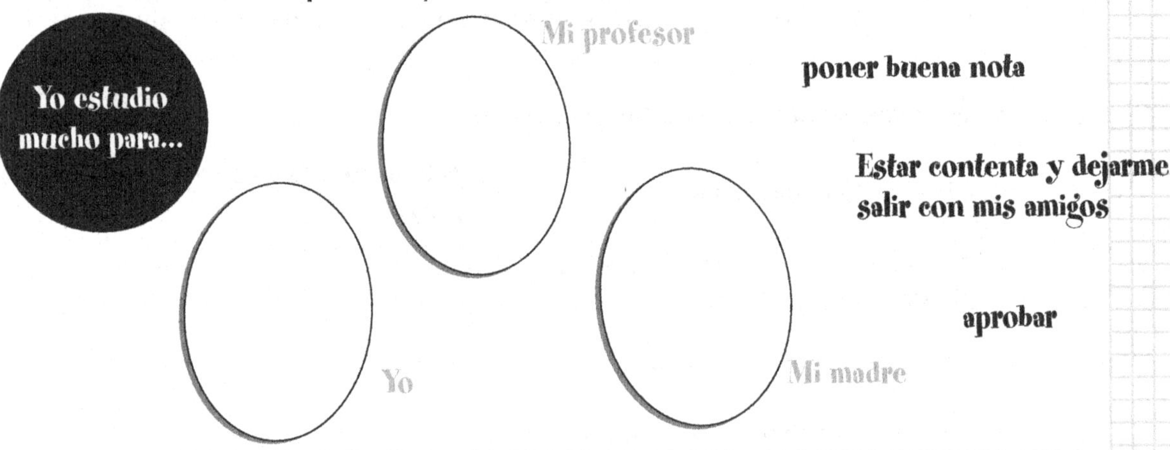

3 **¿Infinitivo o Subjuntivo? Completa con los verbos en la forma adecuada y con *que* en caso necesario. Atención a los pronombres.**

cambiar - ganar - llevármelos - leerlo - mejorar - practicar - relajarse - verla

1. Mi madre me ha preparado unos bocadillos para ______ a la excursión.
2. Me he comprado este libro para ______ durante las vacaciones.
3. Toma, te he traído esta película para ______ mientras estás enfermo.
4. El entrenador de mi equipo me ha mandado unos ejercicios para ______ mi capacidad física.
5. Alberto se ha buscado un trabajo para ______ algún dinero para las vacaciones.
6. Isabel y Aurora van a venir a pasar una semana en casa para ______ mi idioma.
7. Sus padres y profesores hablaron con él para ______ su actitud en clase.
8. Nos fuimos a nadar para ______ un poco después de los exámenes.

notas

4 *Para que* + **Imperfecto de subjuntivo. Transforma estas frases en pasado.**

1. Se lo cuento para que no se enfade.
   Se lo conté para que no se enfadara.
2. Te mando este correo para que sepas qué tal estoy.
3. He comprado estas palomitas para que nos las comamos durante la película.
4. Chatea conmigo para que le ayude a hablar mejor mi lengua.
5. Quiero hacer bien este trabajo para que el profesor me ponga buena nota.
6. Te llamo para que me digas qué habéis estudiado en clase.
7. Viene a verme para que le deje los apuntes de clase.
8. Vamos a ver al entrenador para que nos seleccione en el equipo.

5 **¿Imperfecto o Presente de Subjuntivo? Marca la opción adecuada.**

1. Me he escondido para que no me **vea / viera** Luis. Es muy pesado.
2. Fuimos a ver al profesor para que nos **explique / explicara** el ejercicio.
3. Tuve que dejarle mi libro de conjugaciones para que **practique / practicara** la forma de los verbos.
4. Voy a ir a la biblioteca para que me **dejen / dejaran** un buen diccionario de español.
5. Le mandó un correo electrónico para que **sepa / supiera** cuál es su dirección.

6 **Ahora transforma las frases anteriores para poder elegir la otra opción.**

Inter-acción

1 **Juego de las adivinanzas. Escribe tres actividades que vas a hacer.**

1.

2.

3.

a. Tus compañeros tienen que formular finalidades, ¿para qué las vas a hacer? ¿Hay alguien que haya descubierto los motivos reales?

b. Tus compañeros te van a contar actividades que van a hacer. Formula finalidades. A ver si averiguas por qué, qué quieren conseguir.

unidad 5

Con & Texto

1. **¿Has tenido que poner alguna vez alguna excusa para no ir a una cita? ¿Cuál de estas excusas has utilizado?**

- ❑ **Ya he quedado.**
- ❑ **No puedo ir, tengo que cuidar a mi hermano.**
- ❑ **Tenemos visita en casa.**
- ❑ **Se me ha olvidado.**
- ❑ **Ahora no puedo, es que...**

2. **A veces se ponen excusas falsas para no ir a una cita que no te apetece. Lee este texto en el que se habla de técnicas para no ir.**

Mucha gente no tiene ningún inconveniente en tener varios planes para el mismo día y a la misma hora para poder elegir después lo que más les gusta. Entonces se inventan excusas para que nadie se enfade con ellos. A continuación recojo una serie de excusas, reales y autobiográficas.

1. ***Es que no puedo ir porque mi hermana está enferma.***

Cuando dicen esto se refieren a un resfriado o una gripe, de lo contrario, si fuera algo más grave, la niña estaría en el hospital. Vaya excusa, supongo que su hermana tiene unos padres y no creo que un hermano tenga que dejar de salir porque su hermanita tiene unas décimas de fiebre.

2. ***No puedo ir, es que han venido mis tíos.***

Es casualidad que siempre se presenten un sábado por la mañana y sin avisar.

3. ***La técnica de los mensajitos en el teléfono móvil***

No podremos ir, ya te contaré. Normalmente, el que recurre a los mensajes, es porque no tiene ganas de quedar. Si hay un motivo real, lo explicarían.

4. ***Como tengo la gripe, no podré ir con vosotros a la discoteca.***

Aún recuerdo aquel viernes por la tarde en la que un amigo me llamó diciéndome esto. Por supuesto, yo no me lo creí. La confirmación vino al cabo de unos días, cuando se le escapó que había estado en una fiesta, justamente, ese viernes por la tarde.

5. ***No podré ir mañana contigo, es que he quedado con mis amigos.***

Esta excusa no es falsa. Sin querer, su autor dijo lo que pensaba realmente.

6. ***La técnica del móvil desconectado***

Algunos desconectan el móvil para que no les recuerdes la cita y no avisan. Al cabo de unos días llaman y dicen que se les olvidó, que si les hubiera llamado, se habrían acordado.

7. ***La técnica de precisamente iba a avisarte ahora***

Un domingo por la tarde, quedé con un compañero de clase que vive en mi barrio. Antes de la cita estaba yo en el portal de mi casa, diciéndole a mis padres que me iba a su casa (vive muy cerca), cuando apareció a lo lejos, iba a encontrarse con unos amigos suyos. Entonces nos vio, se acercó y, rojo como un tomate, me dijo: precisamente ahora iba a tu casa para decirte que no puedo ir contigo hoy.

8. ***La técnica de imitar la voz de su hermano***

El de la historia anterior era y es un experto en el noble arte de mentir para no acudir a las citas que han dejado de interesarle. Su hermano nos comentó que, más de una vez, cuando no tenía ganas de salir, por teléfono, imitaba su voz: ¿mi hermano?, no está, se ha tenido que ir para ayudar a mi padre, no sé a qué hora volverá.

notas

3 Marca verdadero (V) o falso (F).

	V	F
1. El autor suele utilizar muchas excusas para no ir a una cita.	❒	❒
2. A él le han puesto muchas excusas.	❒	❒
3. Piensa que decir que tienes que cuidar a tu hermana es mentira.	❒	❒
4. Es normal que los tíos y familiares se presenten de improviso.	❒	❒
5. La excusa de "es que he quedado" es la única verdadera.	❒	❒
6. Tiene un amigo que imita la voz de su hermano pequeño.	❒	❒

4 Identifica el tipo de información de las excusas. ¿Cuál es cuál?

- ❑ Dar una excusa cuando te han pillado in fraganti.
- ❑ Enfermedad falsa.
- ❑ Hacer de enfermero repentino.
- ❑ Aparentar que se es otro.
- ❑ Motivo desconocido.
- ❑ Olvido casual.
- ❑ Tener otra cita.
- ❑ Visita inesperada.

5 El autor piensa que si fueran reales las excusas, entonces... Relaciona las frases de acuerdo a la idea del texto.

1. Si su hermana se hubiera puesto de verdad enferma...
2. Si sus tíos hubieran ido a visitarles...
3. Si hubiera tenido un motivo real...
4. Si hubiera tenido gripe de verdad...
5. Si me hubiera querido avisar...

a. ...habrían llamado antes para avisar.
b. ...me habría llamado en vez de venir a casa.
c. ...no habría podido ir a una fiesta.
d. ...la habrían llevado al hospital.
e. ...habría mandado una explicación por el móvil.

6 Y a ti, ¿te han puesto alguna excusa que sabías que era falsa? Cuéntalo.

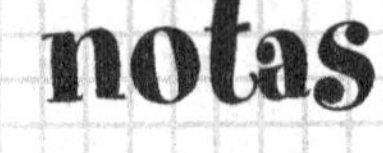

Unidad 6

LECCIÓN 11

Pedir permiso	Denegarlo
INFORMAL ¿**Puedo** + Infinitivo...? ¿**Me dejas** + Infinitivo...? ¿**Te importa** + Infinitivo / si...?	- Presente de Indicativo - ¡**Ni hablar**! - Imperativo (afirmativo y negativo)
MÁS FORMAL ¿**Podría** + Infinitivo? ¿**Me dejarías** + Infinitivo? ¿**Te importaría** + Infinitivo / si...?	OTRAS FORMAS **Prohibido** + Infinitivo **Te / le... prohíbo que** + Infinitivo

1 **Unos chicos piden permiso para hacer algo. Contesta afirmativamente con el Imperativo y los pronombres adecuados.**

1. ¿Puedo usar tu ordenador un momento? **Sí, claro, úsalo, úsalo.**
2. ¿Puedo salir con mis amigos ahora?
3. ¿Me dejas ver mi programa favorito?
4. ¿Te importa si voy a dormir a casa de Gregorio?
5. ¿Puedo poner música?
6. ¿Me dejarías ir al parque?
7. Profesor, ¿puedo ir al servicio?
8. ¿Podría sentarme con mi amigo?

2 **Contesta ahora negativamente utilizando el Imperativo negativo.**

1. ¿Puedo usar tu ordenador un momento? **No, no lo uses.**
2. ¿Puedo salir con mis amigos ahora?
3. ¿Me dejas ver mi programa favorito?
4. ¿Te importa si voy a dormir a casa de Gregorio?
5. ¿Puedo poner música?
6. ¿Me dejarías ir al parque?
7. Profesor, ¿puedo ir al servicio?
8. ¿Podría sentarme con mi amigo?

3 **Formula prohibiciones como en el ejemplo.**

1. Esos amigos tuyos no me gustan. **Te prohíbo que vayas con ellos.**
2. Esa música está muy alta.
3. Es muy tarde para salir.
4. Es una película muy violenta.
5. Esa ropa está muy sucia.
6. Hablas mucho tiempo por el teléfono.
7. Gastas mucho dinero en golosinas.
8. Esa fiesta terminará muy tarde.

4 Relaciona las peticiones con las promesas.

Hacer promesas
Te / le / os / les prometo que + Futuro simple ***Te prometo*** *que no llegaré tarde..*

1. Mamá, si me dejas ir a la fiesta...
2. Si hoy me dejas ver la tele...
3. Papá, ¿puedo hacer los deberes mañana?
4. ¿Me dejas tu bicicleta?
5. ¿Te importaría si me llevo este libro a casa?

a. Te prometo que mañana no la veré.
b. Te prometo que me levantaré pronto y los haré todos.
c. Te prometo que te la cuidaré.
d. Te prometo que te lo devolveré enseguida.
e. Te prometo que volveré pronto.

5 **Completa estos diálogos con el verbo en la forma correcta.**

1. ● Papá, ¿me dejarías ______ (ir) a la fiesta de cumpleaños de Teresa? Es que ______ (ser) mi mejor amiga. Si me ______ (dejar) ir, te prometo que ______ (volver) pronto.
   ● Bueno, ______ (ir), pero no ______ (volver) tarde.
2. ● Oye, Carolina, ¿me dejas un momento tu *walkman*? Es que ______ (querer) escuchar este disco. Te prometo que te lo ______ (devolver) enseguida.
   ● Bueno, ______ (tomarlo), pero ______ (cuidármelo), que es nuevo.
3. ● Puedo salir con mis amigos.
   ● No, no ______ (salir) y ______ (hacer) los deberes.
   ● Anda. Si me dejas ______ (ir), te prometo que ______ (hacer) los deberes después.
4. ● ¿Te importaría si ______ (ir) a dormir a tu casa? Así podemos estudiar juntos.
   ● No, Miguel, no ______ (venir), que me interrumpes y mañana tenemos un examen.
   ● Te prometo que no ______ (hablar) y que ______ (estudiar) mucho.

Inter-acción

1 **Elige dos de las siguientes situaciones. Vas a hacerle peticiones a tu compañero. Imagina qué le pides.**

2 **Ahora imagina qué promesas le haces para convencerle de que te dé permiso.**

3 **Hazle las peticiones a tu compañero y él te contestará.**

4 **Tu compañero te hará dos peticiones. Contesta afirmativa o negativamente.**

notas

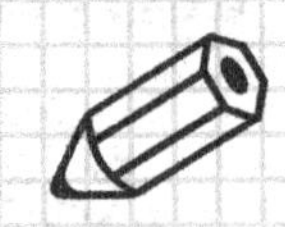

Expresar condiciones	
1. Condiciones mínimas	
con (tal de) que **siempre que** + Subjuntivo **a condición de que**	*Te dejo mi bicicleta **con tal de que** me la cuides.*
2. Condiciones excepcionales	
salvo que **excepto que** + Subjuntivo **a no ser que**	*No faltare a clase **salvo que** me ponga enfermo.*

1 **Completa las frases con *con tal de que* o con *excepto que*.**

1. Te dejo mi último disco de Maná ______ me prometas que me lo devolverás mañana.
2. Vamos a ir a la fiesta de Begoña ______ al final decida no hacerla.
3. Este año he estudiado mucho y aprobaré ______ me confunda mucho en el examen final.
4. Mi madre me ha dicho que puedo ir de excursión con vosotros ______ me lleve el móvil.
5. Sí, puedes jugar con nosotros ______ hagas de portero.
6. Mañana iremos a la piscina ______ haga mal tiempo.
7. No puedo ir al parque ______ termine los deberes en cinco minutos.
8. Estoy enfadado contigo, pero te invito a mi fiesta ______ me pidas perdón.

2 **Transforma estas condiciones con *si* por otras equivalentes con *a condición de que* o con *a no ser que.***

1. Si hace calor, iremos a bañarnos.
   Iremos a bañarnos a condición de que haga calor.
2. Te compraré el videojuego que quieres, pero si es muy caro, no.
   ______
3. Si saco buenas notas, me dejarán ir de viaje de fin de curso.
   ______
4. Si voy con mi hermano pequeño, iré al cine.
   ______
5. Mi padres me dejan ir al concierto de Alejandro Sanz, pero si es muy tarde, no.
   ______
6. No participaré en el equipo, pero si no tengo que entrenar todos los días, entonces sí.
   ______
7. Te dejaré leer mi diario si no le cuentas a nadie lo que he escrito.
   ______
8. No, no puedo salir esta tarde porque tengo que cuidar a mi hermano. Pero si viene mi abuela, entonces sí.
   ______

3 Transforma estas frases en pasado.

1. Me ha dicho que puedo ir con vosotros, con tal de que no hagamos tonterías.
   Me dijo que podía ir con vosotros, con tal de que no hiciéramos tonterías.
2. Es probable que aprobemos todos, excepto que hagamos el examen fatal.
3. Me imagino que mi hermano me dejará su chaqueta siempre que se la cuide.
4. Llegará puntual, a no ser que el autobús se retrase.
5. Me ha prometido que me comprará ese disco, a condición de que yo le regale mi camiseta.
6. Salvo que ya no queden entradas para le concierto, iremos esta tarde.
7. Participaremos en la liga de institutos, con tal de que no perdamos este partido.
8. La fiesta de fin de curso será en el patio, excepto que se ponga a llover.

4 Sus padres le dijeron que... Imagina qué condiciones le pusieron los padres.

1.

2.

3.

Inter-acción

1 Aquí tienes algunos objetos. Elige tres y pídeselos a tu compañero. Él o ella te pondrán condiciones. Piensa si las cumplirás o no y por qué.

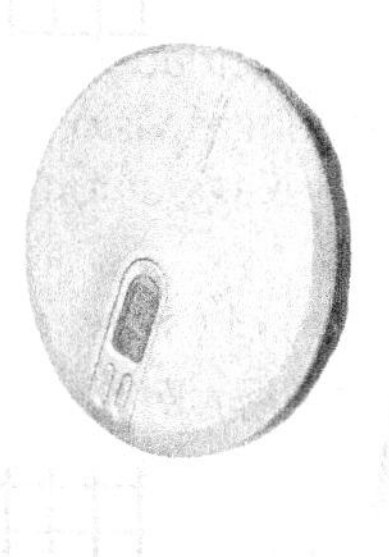

2 Tu compañero te va a pedir algunas cosas. Ponle condiciones difíciles para dejárselas. ¿Las cumplirá?

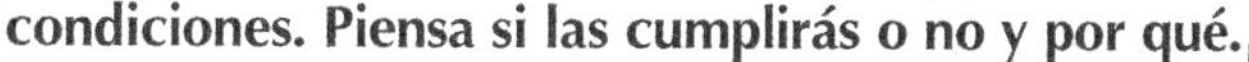

Unidad 6

Con & Texto

1 **Elegir una carrera profesional no siempre es fácil. Quizás ahora te lo estés planteando. Lee este texto, a ver si te ayuda.**

DECISIÓN TRASCENDENTE

Aquí te presento algunas ideas que te podrán servir a la hora de elegir carrera siempre que sepas que esta opinión es el fruto de mi experiencia, no quiero sentar cátedra, pero creo que a la hora de elegir una carrera es imprescindible tener en cuenta algunas cosas muy básicas, que muchas veces inexplicablemente se olvidan.

A lo mejor algunos consejos pueden parecer tontos, pero a lo largo de mi vida universitaria me he dado cuenta de que la mayoría de los estudiantes acabamos dedicando cuerpo y alma a una carrera por razones de lo más variopintas, y pocas veces ésta se adecua a nuestros gustos o capacidades. Espero que a algún despistado le puedan servir de algo mis indicaciones.

LA CARRERA DEBE ESTAR EN CONSONANCIA CON TUS GUSTOS

La mayoría de las personas no suelen tener muy definida cuál será su profesión, excepto que crezcan con una vocación determinada y muy clara. Por eso, cuando elijas una carrera, toma la decisión oportuna a condición de que tengas muy claro que vas a dedicarte durante varios años de estudiante y muchos más de trabajador a esa área. Es un error, desde mi punto de vista, anteponer la situación del mercado laboral o las salidas profesionales a los gustos personales de cada uno. Este tipo de decisión equivocada suele conducir a un profundo aburrimiento y muchas veces al desánimo y al fracaso. En caso de que te dediques a algo que ni siquiera te interesa, acabarás o bien cambiando de carrera o bien buscando desesperadamente una salida profesional más acorde con tus gustos.

En mi caso estudié informática durante 6 años aburridos, largos y angustiosos, porque realmente no me encanta ese mundo, ahora intento trabajar en otras áreas no tan relacionadas con la informática, porque no me resigno a pasarme la vida haciendo algo que realmente me aburre. Mi decisión se basó en conclusiones erróneas, ya que solamente tuve en cuenta las estupendas salidas profesionales de un ingeniero en informática.

LA ÚNICA OPINIÓN QUE REALMENTE CUENTA ES LA TUYA

Intenta escuchar a otras personas que te transmiten su interés y alaban su profesión siempre que no pierdas de vista el hecho de que al final vas a ser tú y no ellos los que estudien. Es absurdo pasarse seis años estudiando medicina, como tu padre, cuando lo que realmente te gusta a ti es construir puentes.

En este tipo de decisiones, las opiniones de los demás no deben guiarte, porque cada persona es un ente individual con unos gustos y capacidades distintos. No quiero decir con esto que no se deban escuchar los consejos, pero la última palabra la tienes tú.

TUS CAPACIDADES Y HABILIDADES SON IMPORTANTES

Además de tener en cuenta tus preferencias, siempre resulta productivo intentar valorar las capacidades con las que cuentas de cara a una profesión determinada. No sueñes con ser arquitecto, excepto que tengas visión espacial o no te empeñes en estudiar música, en caso de que seas sordo como una tapia. Es una exageración, pero es así de simple.

En este punto no quiero ser tan radical, ya que muchas veces las habilidades se aprenden, pero el esfuerzo tiende a ser mayor si no cuentas con unas capacidades básicas que te ayuden, las carreras son largas y ya es mucho el esfuerzo para agravarlo con el aprendizaje de unas habilidades que no son las que posees.

notas

2 Relaciona las condiciones que expone el texto:

1. La mayoría de la gente no tiene claro qué profesión quiere tener...
2. Escucha a otras personas mayores...
3. Puedes elegir cualquier profesión...
4. Cualquier profesión puede ser buena...
5. Es bueno tener una profesión que te produce mucho dinero...

a. ... a condición de que pienses en tus gustos y no en la salida profesional.
b. ... con tal de que tengas las habilidades necesarias.
c. ... excepto que no te produzca satisfacción.
d. ... excepto que tenga una vocación desde pequeño.
e. ... siempre que al final tengas en cuenta tus gustos.

3 Localiza la información anterior en el texto.

4 Lee estas expresiones y localízalas en el texto. Después relaciona lo que está subrayado con la expresión correspondiente.

1. Es fruto de mi experiencia	a. Completamente.
2. No quiero sentar cátedra	b. Gusto o inclinación por una profesión.
3. Dedicarse en cuerpo y alma a una carrera	c. La decisión es tuya.
4. Crecer con una vocación determinada	d. Piensa
5. Anteponer la situación laboral	e. Poner en primer lugar
6. Más acorde con tus gustos	f. Que tienes.
7. No pierdas de vista	g. Relacionados.
8. La última palabra la tienes tú.	h. Ser dogmático.
9. Las capacidades con las que cuentas	i. Ser el resultado de...

5 Y tú, ¿qué opinas? Pon en orden de mayor a menor importancia los criterios que crees que hay que seguir para elegir una profesión.

- ❑ Seguir la profesión de mis padres y mayores.
- ❑ Saber qué oportunidades de trabajo tendré.
- ❑ Reflexionar sobre mis capacidades y habilidades.
- ❑ Conocer la opinión de algunos mayores sobre su profesión.
- ❑ Pensar en mis gustos personales.
- ❑ Anteponer la cuestión económica.
- ❑ No perder de vista los posibles trabajos futuros.

6 Escribe ahora un texto en el que explicas cómo vas a tomar la decisión sobre tu futuro profesional y qué condiciones vas a poner.

Key Stage Two
Maths Investigations
Teacher Book for Year 3

This Teacher Book accompanies CGP's Year 3 Maths Investigations Question Book.

It's matched page-to-page with the Question Book and includes background information to help teachers introduce and teach each investigation. Detailed answers are included too!

We've also made some handy printable resources to go alongside the investigations — you can download them from this page:

www.cgpbooks.co.uk/KS2-Maths-Investigations

Or you can scan this QR code: 

What CGP is all about

Our sole aim here at CGP is to produce the highest quality books — carefully written, immaculately presented and dangerously close to being funny.

Then we work our socks off to get them out to you — at the cheapest possible prices.

Contents

Contents

Section Three — Fractions

Section Four — Geometry and Measurement

Section Five — Statistics

Published by CGP

ISBN: 978 1 78908 899 1

Written by Amanda MacNaughton and Mike Ollerton.

Editors: Ellen Burton, Sharon Keeley-Holden, Sam Norman
Reviewer: Gareth Mitchell
With thanks to Glenn Rogers and Dave Ryan for the proofreading.

Printed by Elanders Ltd, Newcastle upon Tyne.
Clipart from Corel®
Based on the classic CGP style created by Richard Parsons.

How To Use This Book

This book guides teachers through each of the investigations in the pupil book. Each page in the pupil book has an accompanying page in the teacher book, as shown below:

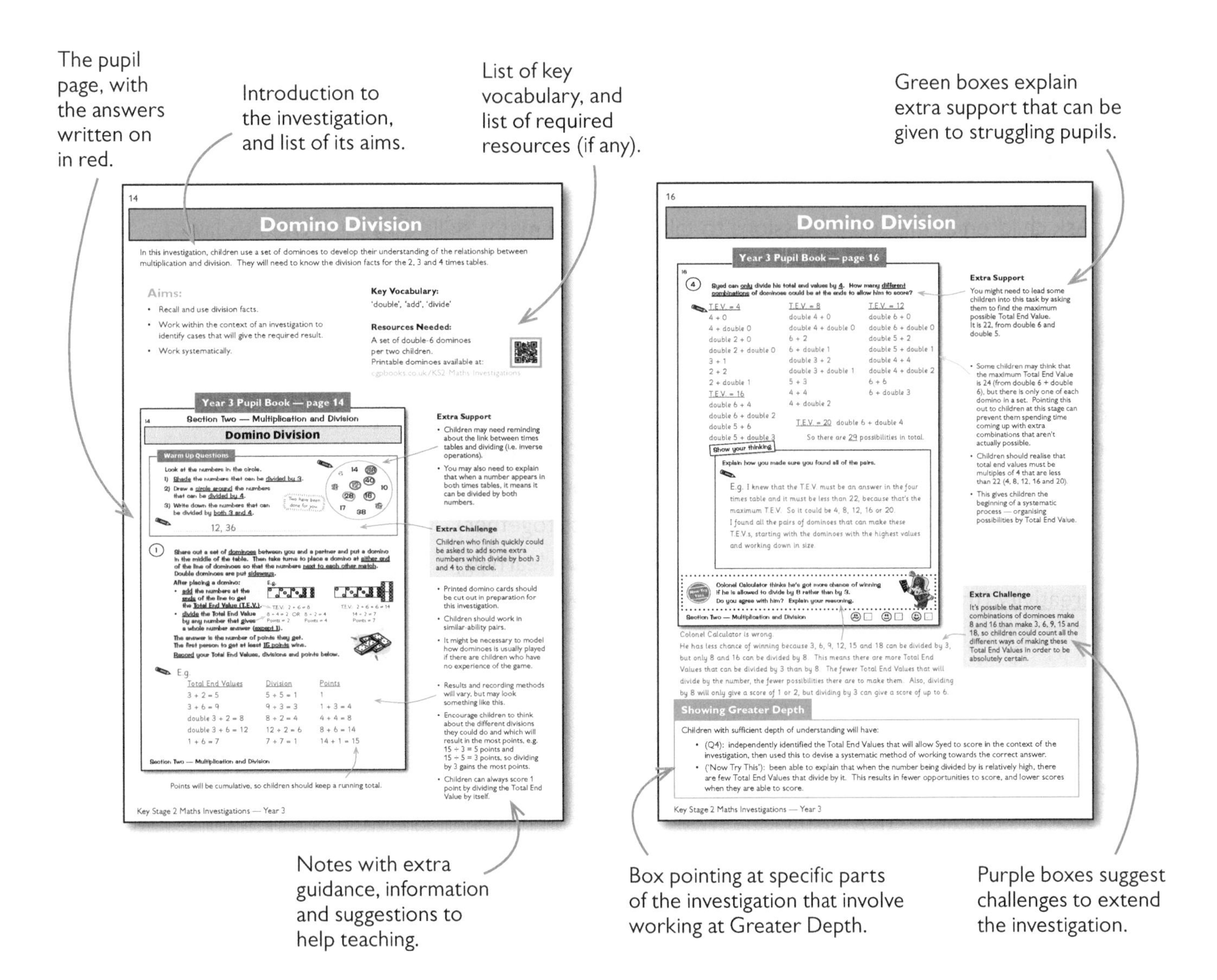

It is a good idea to read through the investigation and teacher notes before delivering each lesson, as this will allow you to prepare, e.g.:

- Required resources – e.g. maths manipulatives or print-outs (some investigations have accompanying printable online resources — these are found at cgpbooks.co.uk/KS2-Maths-Investigations or by scanning the QR code).
- Any other set-up — e.g. some investigations may require children to work in mixed ability pairings or groups, and some may benefit from a large space being available.
- Timings — investigations could take varying lengths of time, depending on the learners and environment you are working in. You might need to be prepared with the suggested extra challenges, if you expect some children to finish early.

The next page gives more general advice for leading these investigations.

How To Use This Book

During the Lesson

- There will be many opportunities throughout these investigations to stop the lesson for a mini-plenary or quick class discussion.
- Ask the children what they have found out so far or what they have noticed.
- Ask children to demonstrate how they are being systematic.
- Regularly remind children that good mathematicians test ideas and predictions; they get things wrong sometimes and learn from it.
- Ask children at the end of sessions to talk about the maths skills they have used today.

Greater Depth

Each investigation provides opportunities for children to demonstrate 'Greater Depth'.
These require not only mastery of the mathematical concept being taught, but also skills such as:

- analysis (breaking down a problem into its component parts).
- synthesis (bringing different mathematical concepts together).
- metacognition (reflecting on what and how they are learning).
- creativity (transferring their understanding to a new situation).

Skills Needed for Completing Investigations

Maths investigations involve a special set of skills that help children to deal with mathematical situations in real life. They need to:

- work systematically (collect and work out information in an orderly way).
- spot patterns and make predictions (use evidence to decide what will happen next).
- generate rules (use evidence to make generalisations).
- show their thinking (write down their thoughts and findings).

Introduce pupils to these skills using pages 1-2 of the workbook.

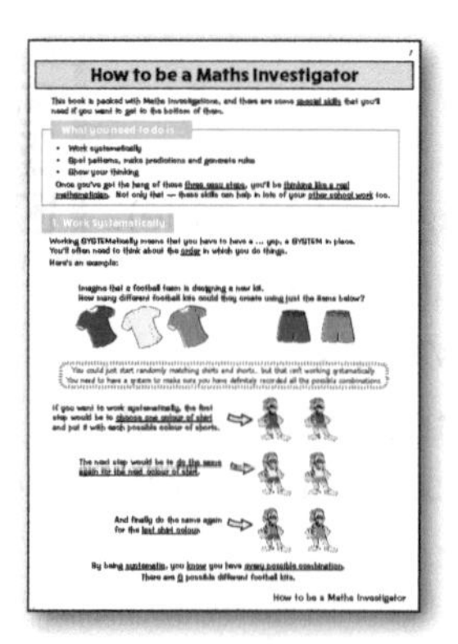
How to be a Maths Investigator

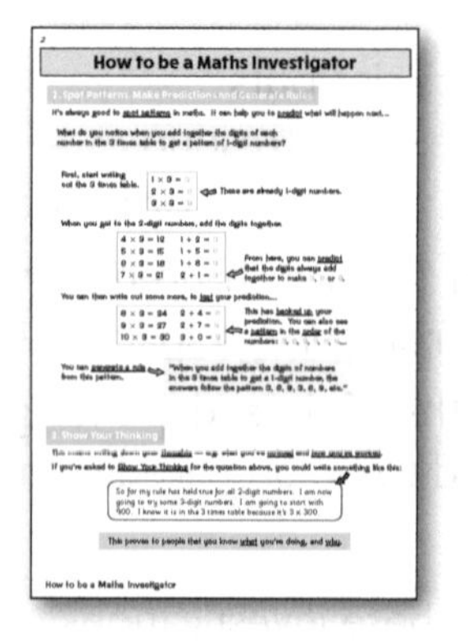
How to be a Maths Investigator

'Showing your thinking' is often called 'Journaling'. It helps children develop their reasoning skills. Thinking deeper about the maths they are doing will help them to master mathematical concepts and show greater depth in their work.

Talk them through the examples and invite them to think of other examples of where they could apply these skills (e.g. in Science and Computer Science).

Place Value Grids

In this investigation, children will place 1-digit numbers on a place value grid to find the different possible totals. They'll then place their totals on a number line and consider why some totals may be the same. To tackle this investigation, children should be fluent at adding up multiples of ten.

Aims:

- Use place value grids to represent numbers in an alternative way.
- Compare and order 1- and 2-digit numbers.
- Develop fluency in combining tens and ones to make numbers.

Key Vocabulary:

'place value grid', 'tens', 'ones', 'column', 'row', 'minimum', 'maximum'

Resources Needed:

Printable place value grids available at: cgpbooks.co.uk/KS2-Maths-Investigations

Year 3 Pupil Book — page 3

Section One — Addition, Subtraction and Place Value 3

Place Value Grids

Warm Up Questions

Calculate the total score on each target.

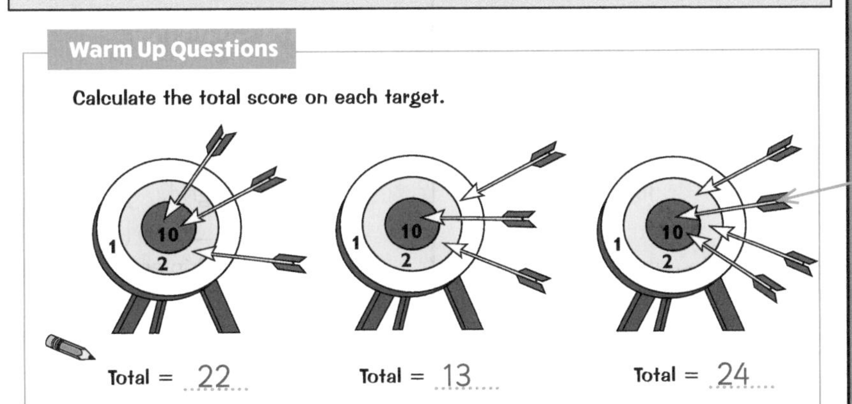

Children should know that the answer will be the same whatever order the numbers are added up in. However, they should be encouraged to count the biggest scores first, i.e. the darts that have scored 10 each, followed by the 2s and finally the 1s.

1. Select 2 numbers, higher than zero, which add together to make less than 10, e.g. 2 and 4.
Place the numbers in different ways on place value grids to make as many different totals as possible, e.g:

Tens T	Ones O
2	4

Total = 24

Tens T	Ones O
4	2

Total = 42

Tens T	Ones O
2	
4	

Total = 60

Tens T	Ones O
	2
	4

Total = 6

Would you get a different total if you switched the numbers around in the last two grids? How do you know?

Put your numbers in the place value grids below.
You might not need all the grids.

E.g. 3 and 6

Tens T	Ones O
3	6

Total = 36

Tens T	Ones O
6	3

63

Tens T	Ones O
6	
3	

90

Tens T	Ones O
	6
	3

9

Tens T	Ones O

....

Section One — Addition, Subtraction and Place Value

- Using 2 different single-digit numbers always produces 4 totals.
- The numbers should be placed in these positions:

Tens T	Ones O
●	●

Tens T	Ones O
●	●

Tens T	Ones O
●	
●	

Tens T	Ones O
	●
	●

Place Value Grids

Year 3 Pupil Book — page 4

4

2 Now pick 2 one-digit numbers that add together to make more than 10.
Put your numbers in the grids below and find as many totals as you can.

E.g. 5 and 7

Tens T	Ones O
5	7

Total = 57

Tens T	Ones O
7	5

75

Tens T	Ones O
7	
5	

120

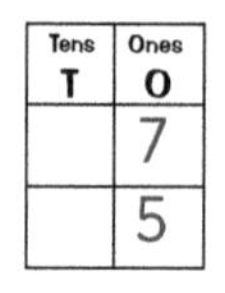

12

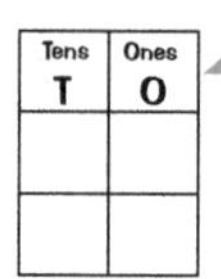

The pairs that can be chosen are: 2-9, 3-8, 3-9, 4-7, 4-8, 4-9, 5-6, 5-7, 5-8, 5-9, 6-6, 6-7, 6-8, 6-9, 7-7, 7-8, 7-9, 8-8, 8-9, 9-9.

Write your totals in order from smallest to biggest.

12 57 75 120

At this point, the class could discuss:

- Who had the smallest number in the class?
- Is this the smallest we can make, or is there another possible number?

3 What is the minimum total that can be made by placing two digits (higher than zero) in a place value grid? What is the maximum total that can be made?

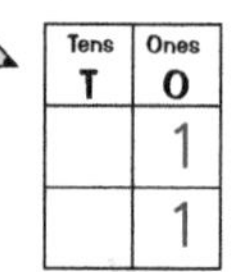

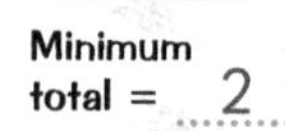

Minimum total = 2

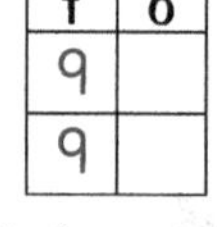

Maximum total = 180

Extra Challenge

Ask children whether they think every number between the minimum and maximum can be made by putting two digits in the place value grid.

They can't — 2-99 can be made, then the multiples of 10 to 180.

4 Choose 3 one-digit numbers that are all different to each other.
What are the minimum and maximum totals that can be made by placing them on a place value grid? Use all three numbers in the place value grid.

E.g. 1, 2, 3

Tens T	Ones O
1	2
	3

Minimum total = 15

Tens T	Ones O
2	1
3	

Maximum total = 51

Section One — Addition, Subtraction and Place Value

- To make the minimum total, the smallest digit needs to be placed in the tens column, with the other digits in the ones column.
- To make the maximum total, the smallest digit needs to be placed in the ones column, with the other digits in the tens column.

Place Value Grids

- Create a large number line in the classroom. A piece of string tied up works well — folded pieces of paper can then hang over it.
- Children could be asked to bring their totals up and work out where they should be placed. The more totals that are placed, the more the children may need to move numbers left or right to fit theirs in. Numbers that are the same should sit on top of each other.

Year 3 Pupil Book — page 5

5

(5) **Write each of your totals from questions 1 and 2 on a square of paper. You are now going to create a HUGE number line of all the totals you and your classmates have made.**

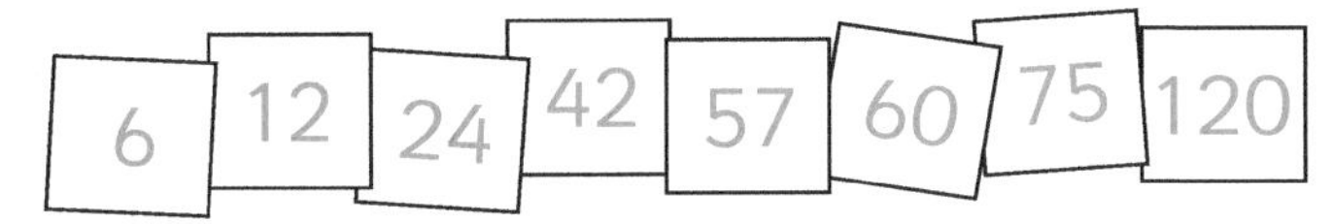

E.g.

Show your thinking

Explain why some of the totals might be the same. Give examples to prove how you know.

Some totals might be the same because more than one person might have chosen the same numbers. For example, Krystal and Sean chose 5 and 8 so both made the total 13.

Also, some totals can be made using different numbers. For example, Azim and Kate both made 140 but Azim used 5 and 9 and Kate used 6 and 8.

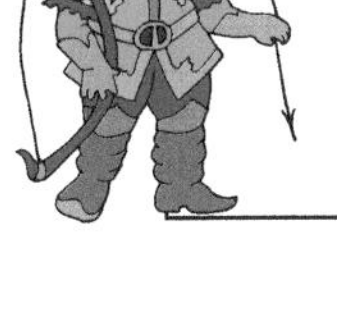

Section One — Addition, Subtraction and Place Value

Ask children who got the same total as each other to compare how they made the total, e.g. one child may have 70 from 3 and 4 in the tens column, but another child may have 70 from 5 and 2 in the tens column.

Extra Challenge

Ask children whether every total can be made in more than one way.

It can't — numbers between 4 and 16 can be made in more than one way, as can multiples of 10 between 40 and 160. The rest can only be made in one way.

Place Value Grids

Year 3 Pupil Book — page 6

6

Iris, Chen and Eliza each created a total of <u>120</u>. They all used two different one-digit numbers. What numbers might each child have used?

3 and 9 in the tens column,
4 and 8 in the tens column,
5 and 7 in the tens column or
6 and 6 in the tens column

Extra Support

If children are struggling, tell them that to make 120, they will be adding 2 multiples of 10 so they need to trial different single digits in the tens columns.

Arrange the digits 2, 5 and 8 in the place value grids below to make as many different totals as possible. You might not need all the grids.

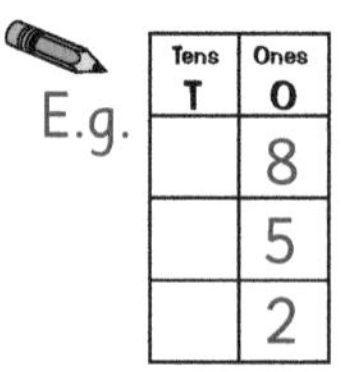

E.g.

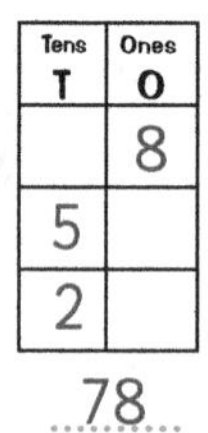

Tens T	Ones O	Tens T	Ones O	Tens T	Ones O	Tens T	Ones O	Tens T	Ones O
	8	8		8			8	8	
	5	5			5	5			5
	2		2	2		2			2

Total = 150 | 132 | 105 | 78 | 87

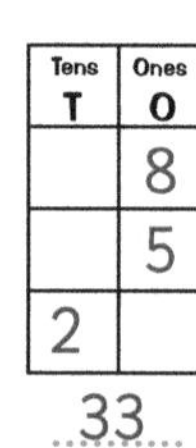

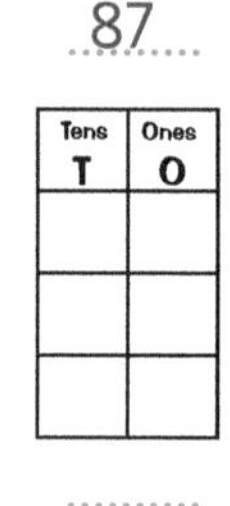

Tens T	Ones O	Tens T	Ones O	Tens T	Ones O	Tens T	Ones O	Tens T	Ones O
	8		8		8				
5			5		5				
	2	2			2				

Total = 60 | 33 | 15 | .... | ....

The children have been told which numbers to use for this part because if two of the digits chosen add to make the third digit (e.g. 3, 5, 8), then there will only be 7 different totals. (E.g. if you swap the 2 for a 3 in the last two arrangements of the first row, you'll see that both of these totals are 88.)

How many different totals did you make? 8

What was the <u>maximum</u> number you could make? 150

What was the <u>minimum</u> number you could make? 15

How many different totals do you think can be made by putting 4 one-digit numbers in a place value grid with 4 rows?

Test whether you are correct using the digits 1, 2, 4 and 8.

T	O

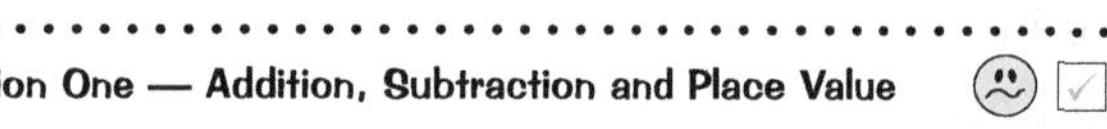

Section One — Addition, Subtraction and Place Value

- You can print out a sheet of the place value grids for children to use.
- There are 16 totals, but children may expect there to be only 12 totals, because the pattern could be adding 4 on each time. Sometimes, we need more cases to know what the pattern is.

E.g. 2 digits = 4 totals, 3 digits = 8 totals, so 4 digits may result in 12 or 16 totals (depending on whether the pattern is to add on 4 each time or multiply by 2).

T	O	T	O	T	O	T	O	T	O	T	O	T	O	T	O
1		1		1		1			1	1		1		1	
2		2		2			2	2		2			2		2
4		4			4	4		4			4	4			4
8			8	8		8		8			8		8	8	

150 | 78 | 114 | 132 | 141 | 42 | 60 | 96

T	O	T	O	T	O	T	O	T	O	T	O	T	O	T	O
	1		1		1	1			1		1		1		1
2		2			2		2	2			2		2		2
4			4	4			4		4	4			4		4
	8	8		8			8		8		8	8			8

69 | 105 | 123 | 24 | 33 | 51 | 87 | 15

Extra Challenge

Pupils who finish early could then test the pattern by seeing how many variations they can find using 5 digits.

Showing Greater Depth

Children working at Greater Depth will be able to:

- (Now Try This) analyse data to identify patterns and appreciate that the information isn't sufficient to draw a conclusion. Work systematically so that they know when they've found all the possible totals with 4 digits.

Counting Up, Counting Down

In this investigation, children will be counting forwards and backwards in multiples of various sizes, beginning at different numbers. They'll be expected to count in multiples of 2, 4, 8, 10 and 50, but they will also choose their own multiples to count in. Also, they'll identify sequences within a list of numbers.

Aims:

- Count from zero in varying multiples such as 2, 4, 8, 10 and 50.
- Recognise sequences of numbers with equal step sizes.
- Identify patterns in their work.

Key Vocabulary:

'sequence', 'pattern', 'even', 'odd'

Resources Needed:

None

Year 3 Pupil Book — page 7

7

Counting Up, Counting Down

Warm Up Questions

Fill in the missing numbers on the number lines below:

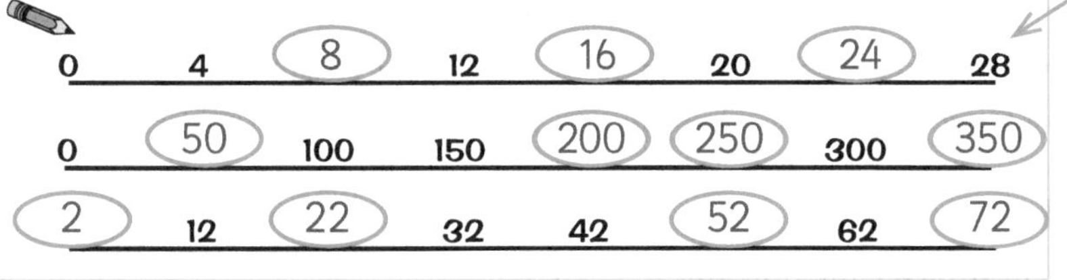

① Start from <u>number 3</u> and go up in a <u>step size of 2</u>.
Record your sequence on the number line below.

Show your thinking

What do you notice about this sequence? Why do you think this is?

E.g. They are all odd numbers because when you count on 2 from an odd number you get to the next odd number. / The sequence 3, 5, 7, 9 repeats because after 5 lots of 2, 10 has been added, which means 1 has been added to the tens column but 0 to the ones column.

② Now <u>choose</u> a <u>starting number</u> of your own and decide what <u>step size</u> you are going to <u>count up</u> in. Record your sequence on the number line.

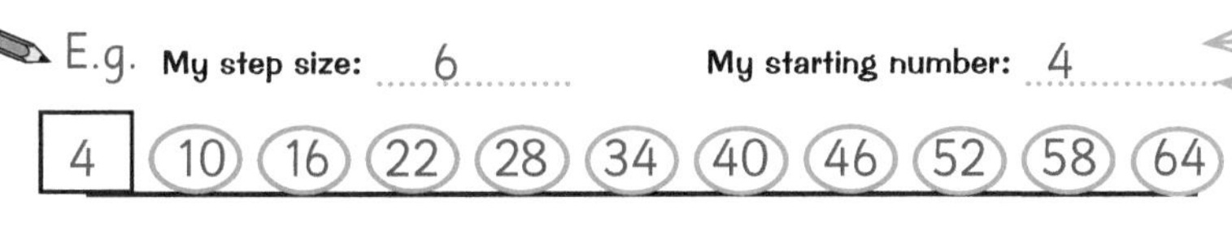

Section One — Addition, Subtraction and Place Value

- In the first number line, knowing that there is a jump of 4 from 0 to 4 will give children the step size straight away.
- In the second number line, children will need to find the difference between 100 and 150 to establish the step size so they can work out what comes after zero.
- In the third number line, the sequence does not begin at zero. They will need to find the difference between 32 and 42 to establish the step size and then subtract that from 12 to find out the first number in the sequence.

Extra Support

Encourage children who might need help to show the jumps from the starting number, i.e.

+2 +2 +2
3 5 7 9

Ensure children understand the term 'sequence' — a set of numbers that are listed in order and follow a rule.

Extra Support

This is an opportunity to differentiate the sequences children create by helping them to choose a step size that suits their ability.

Extra Challenge

Children could give a partner a sensible starting point and step size to count up in. They would then have to check their partner's work is correct.

Counting Up, Counting Down

Year 3 Pupil Book — page 8

8

What do you notice about the sequence of numbers you have made?

E.g. The numbers are all even.
The end digits go 4, 0, 6, 2, 8, then the pattern repeats.

③ Now you are going to start with a number and count down.
Start with the number 27 and count down in a step size of 4.

27 (23) (19) (15) (11) (7) (3)

④ Choose a starting number and a step size to count down in that will bring you down to close to zero on the number line below.
Record your sequence on the number line.

E.g. My step size: 9 My starting number: 100

100 91 82 73 64 55 46 37 28 19 10 1

Show your thinking

What number did your sequence finish on? Why do sequences not always finish on zero?

E.g. My sequence finished on 1.
Sometimes the step size doesn't let you get back exactly to zero from your starting number. This happens when the steps don't fit into the starting number an exact number of times.
E.g. the steps of 9 didn't fit exactly into 100.

Section One — Addition, Subtraction and Place Value

Extra Support

If children struggle to comment on their sequence, give them the words 'odd', 'even', 'ones digit' and 'pattern' to help.

Make sure the children understand that the process is now being reversed, so they're subtracting now instead of adding — these operations are the inverses of each other.

Extra Support

As before, encourage less confident children to draw arches to show the jumps from the starting number 27 to the next number and so on.

- Again, help children to select suitable step sizes for their ability.
- There are no circles marked on this number line as the number of steps will vary depending on the starting number and step size chosen.
- Children may need reminding that their starting number needs to be quite high if they are going to count back, particularly if their step size is large, such as 50 or 100. However, they don't want to make it too high, or it will take too long to reach zero and won't fit in the space provided.

- It would be useful to ask if anyone counted down to exactly zero and, if so, why this happened with their sequence and not everyone else's.
- Children could look for patterns in the sequences that landed on zero and those that didn't. The sequences that land on zero have a starting number which is a multiple of the step size, e.g. 21 is a multiple of 3, so if you start at 21 and go back in steps of 3, you'll get to zero.

Extra Challenge

Ask children to choose a starting number for a given step size so that they will get exactly back to zero. The starting number must be a multiple of the step size, e.g. 32 is a multiple of 4, so starting at 32 and going back in steps of 4 will get you to zero.

Counting Up, Counting Down

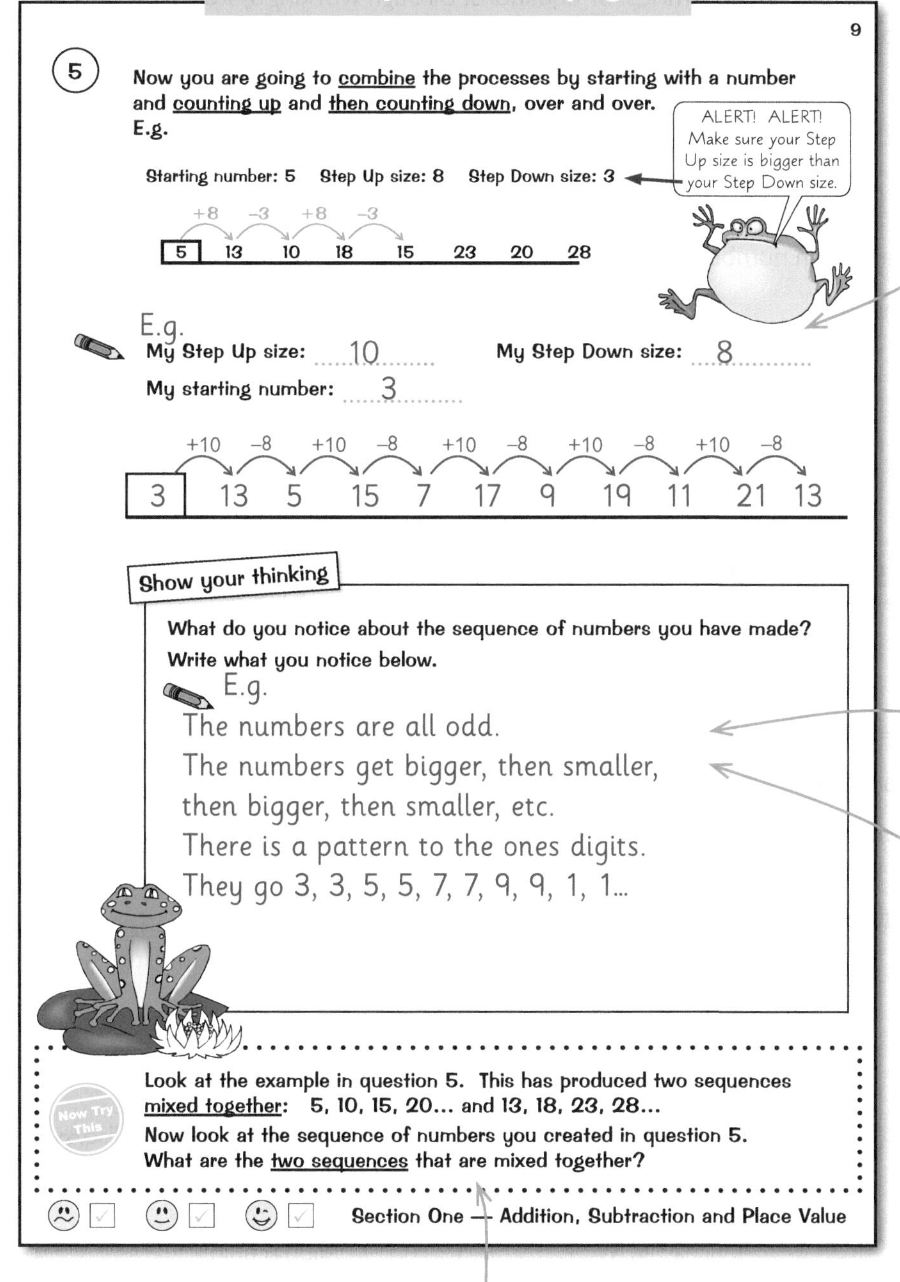

- Discuss with the children why the Step Up size should be bigger than the Step Down size. It is to avoid sequences going into negative numbers. Although sequences can continue in the negative direction, for the purpose of this investigation, we don't want to do this.
- Encourage children to use arches and to record the step sizes to make sure that they don't make an error with the pattern.

This depends on the sequence the children create.

Extra Challenge

Children could be asked how they could create a sequence in which:

- all the numbers are even (or odd, depending on the sequence they made here).
- the numbers alternate between odd and even (as in the example in question 5).

Do they need odd or even step sizes? Should they start on an odd or even number?

E.g. the two sequences are 3, 5, 7, 9... and 13, 15, 17, 19...

To find the two sequences, children need to look at alternate numbers on the number line.

Showing Greater Depth

Children working at Greater Depth will be able to:

- (Q1 Show Your Thinking) explain the reason why all the numbers in the sequence are odd and/or why the sequence 3, 5, 7, 9 repeats.
- (Q4 Show Your Thinking) deduce the link between the starting number, the step size and whether the sequence will exactly reach zero.

Subtraction Using Addition

In this investigation, children will use a number line to develop their understanding of the relationship between subtraction and addition. They'll generate their own 'families' of equations, through working systematically. They'll also use a number line to explore how the difference between two numbers can be partitioned.

Aims:

- Count in ones, and in tens from any given number.
- Count to the nearest ten from any given number.
- Begin to be systematic in working.

Key Vocabulary:

'subtraction', 'addition', 'equation'

Resources Needed:

Number lines may be useful for some children.

Year 3 Pupil Book — page 10

10

Subtraction Using Addition

Warm Up Questions

Complete the additions.

3 + 6 = 9   7 + 7 = 14   25 + 10 = 35

13 + 16 = 29   70 + 70 = 140   20 + 15 = 35

300 + 600 = 900   170 + 170 = 340   200 + 150 = 350

1. You can calculate 9 subtract 5 in two ways:

You can START at 9 and take 5 away.

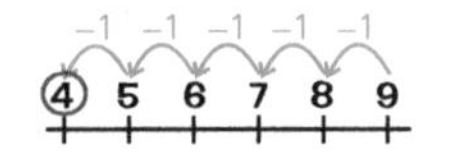

You can START at 5 and add 1 at a time until you get to 9.

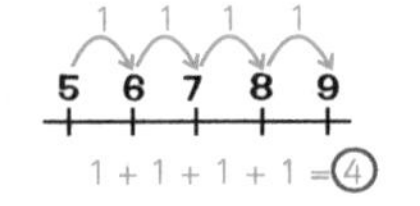

Calculate 12 subtract 7 using both of these methods.

START with 12 and take away 7.

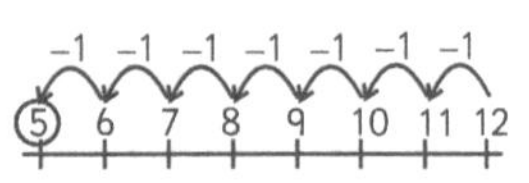

START with 7 and add 1 at a time until you reach 12.

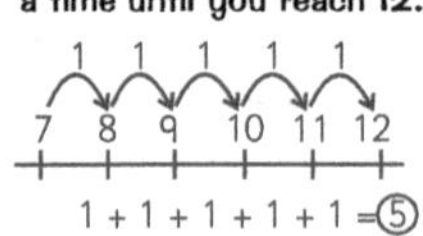

2. Sometimes it's easier to use an addition equation to work out a subtraction. If we know 5 + 4 = 9 then we also know 9 – 4 = 5. What other facts do we know from this?

4 + 5 = 9   9 – 5 = 4

Addition and subtraction are inverse operations. Don't forget — put the biggest number first in the subtraction.

3. So from one equation we can write three more equations. Write three more equations from the calculation 7 + 5 = 12.

5 + 7 = 12   12 – 7 = 5   12 – 5 = 7

Section One — Addition, Subtraction and Place Value

There are connections between the additions in each column here. Encourage pupils to see this, if they don't spot it right away.

- The first page familiarises children with the use of addition to work out subtractions, and the idea of related addition and subtraction facts, to prepare them for the investigative work.
- The children may draw a number line, or do the jumps mentally.
- Encourage them to discuss whether they find it easier counting forwards or backwards (adding on or subtracting).

Extra Support

- If children are unsure what the other 2 equations are, guide them by saying they are looking for one more addition and one more subtraction using the same 3 numbers.
- It is important for children to recognise that the commutative law applies to addition (4 + 5 = 9 so 5 + 4 = 9) but not to subtraction (9 – 5 = 4 but 5 – 9 is NOT equal to 4). However, they aren't expected to know the term commutative.

Subtraction Using Addition

Year 3 Pupil Book — page 11

11

4 **If the answer to a subtraction is 11, what could the equation be? Write as many possibilities as you can using numbers less than 100.**

How could you do this so that you don't have to do a new calculation each time?

Squawk! Work systematically. Find one subtraction and then increase both numbers in it by 1 to get another subtraction. You can keep doing this forever.

E.g. 11 + 1 = 12, so

12 – 1 = 11
13 – 2 = 11
14 – 3 = 11
15 – 4 = 11
and so on...

11 + 10 = 21, so

21 – 10 = 11
31 – 20 = 11
41 – 30 = 11
51 – 40 = 11
and so on...

5 **Use addition to calculate 43 – 26. Start by finding the size of each jump on the number line.**

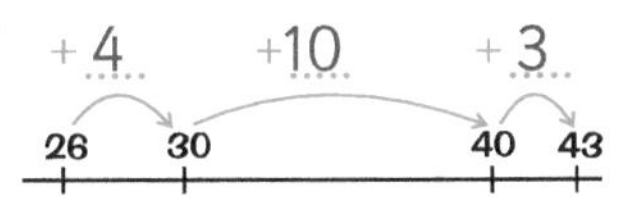

43 – 26 = 4 + 10 + 3 = 17

6 **So you know 26 +** 17 **= 43. What other equations can you write using this one?**

17 + 26 = 43   43 – 17 = 26   43 – 26 = 17

Section One — Addition, Subtraction and Place Value

- Answers will vary. Children may begin with 11 and add a number to generate the first equation.
- When they add 1 to both numbers in the subtraction, the answer will stay at 11.
- Alternatively, they may add an increasingly larger number to 11 and then use that addition to generate the subtraction.
- If children start working out calculations with no pattern, stop them and demonstrate the benefits of working systematically.

Extra Support

- If children pick a number that leads to a tricky calculation, e.g. 94 – ? = 11, they may need guiding to find a suitable method to produce an equation.
- It is worth discussing with the class whether it is better to start with a high or a low number before they start writing down calculations.

Questions 5 and 6 familiarise children with the idea of finding the answer to a subtraction by adding steps of varying sizes.

Subtraction Using Addition

Year 3 Pupil Book — page 12

12

(7) **Make up some <u>subtraction questions</u> and use <u>addition</u> to work out the answers. Then give the questions to your <u>partner</u> to work out using addition.**
For each subtraction, write <u>three other equations</u> that must be correct.

E.g. 35 – 18

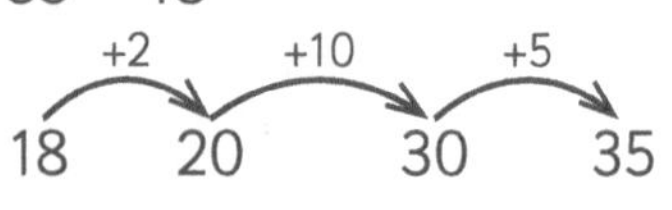

10 + 5 + 2 = 17

35 – 18 = 17 35 – 17 = 18
17 + 18 = 35 18 + 17 = 35

145 – 76

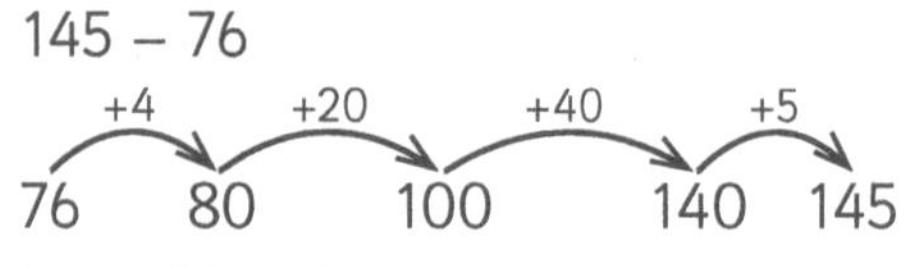

40 + 20 + 5 + 4 = 69

145 – 76 = 69 145 – 69 = 76
76 + 69 = 145 69 + 76 = 145

Section One — Addition, Subtraction and Place Value

- Children may choose different ways of recording their additions, e.g. some might be more comfortable drawing number lines, whereas others may be happy using jottings.
- When adding lists of numbers, children should be encouraged to begin with the biggest numbers and to look for number bonds to 10.

If children choose a 3-digit number to subtract from, they will probably need to add a multiple of 10. If they are adding one 10 at a time, ask them how they could do this more efficiently.

Subtraction Using Addition

Year 3 Pupil Book — page 13

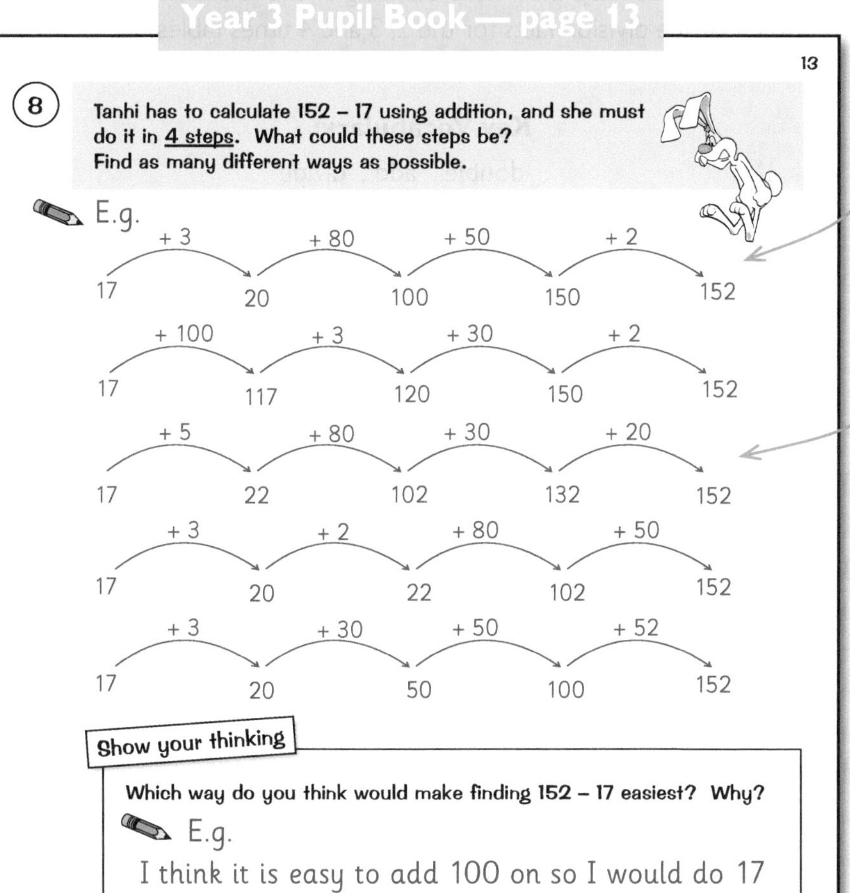

13

8 Tanhi has to calculate 152 – 17 using addition, and she must do it in 4 steps. What could these steps be? Find as many different ways as possible.

E.g.

17 —(+ 3)→ 20 —(+ 80)→ 100 —(+ 50)→ 150 —(+ 2)→ 152

17 —(+ 100)→ 117 —(+ 3)→ 120 —(+ 30)→ 150 —(+ 2)→ 152

17 —(+ 5)→ 22 —(+ 80)→ 102 —(+ 30)→ 132 —(+ 20)→ 152

17 —(+ 3)→ 20 —(+ 2)→ 22 —(+ 80)→ 102 —(+ 50)→ 152

17 —(+ 3)→ 20 —(+ 30)→ 50 —(+ 50)→ 100 —(+ 52)→ 152

Show your thinking

Which way do you think would make finding 152 – 17 easiest? Why?

E.g.

I think it is easy to add 100 on so I would do 17 + 100 = 117 first.
This gets me closer to 152 than the other ways.
I would then add 3 to get to 120. Then I just have to add 30 and 2, which are easy to add.

Make up a subtraction question and choose a number of steps that it should be solved in. Challenge your partner to solve it in that number of steps.

Section One — Addition, Subtraction and Place Value

E.g. Solve 457 – 28 in three steps:

72 + 300 + 57 = 329

The 'standard' answer is shown first here. Jumping to the next multiple of 10, followed by the next multiple of 100 (if applicable) generally leads to the most efficient way of solving a problem like this. This should be emphasised to the children.

- Another possibility is to make the ones digit correct with the first step. Multiples of 10 can then be added to reach the target number.
- If children initially add 10 for the second step, show them how to count in 10s until they reach the next 100. Explain that this is important to create fewer steps and therefore become more efficient (quicker) at solving problems.

Extra Challenge

Look at some subtractions with the children and discuss which are easier to tackle by addition and which aren't. E.g. 157 – 23 is unlikely to be most efficiently solved by addition, whereas 203 – 47 may be.

Extra Support

It may be better for some children to have their problem made up by you, rather than another child. This way, it can be tailored to their ability. The number of steps can also be made less specific, e.g. fewer than 6.

Showing Greater Depth

Ask children to discuss the following statement:
'Ali says that you can turn any subtraction equation into an addition equation by writing the three numbers in any order.'
Children working at Greater Depth will be able to:

- explain their thinking, and prove their statements with counter-examples if possible. E.g. I disagree with Ali because the numbers can only be in certain orders. So if the subtraction is 25 – 10 = 15, you can do 10 + 15 = 25 or 15 + 10 = 25 but you can't do 25 + 10, because that doesn't equal 15.
- work systematically to identify all the possible orders of the three numbers.
- use alternative placements of the equals sign, e.g. 25 = 10 + 15, to increase the possible orders. Some children may also try placing a minus sign to back up Ali's statement, e.g. –10 + 15 = 25.

Domino Division

In this investigation, children use a set of dominoes to develop their understanding of the relationship between multiplication and division. They will need to know the division facts for the 2, 3 and 4 times tables.

Aims:

- Recall and use division facts.
- Work within the context of an investigation to identify cases that will give the required result.
- Work systematically.

Key Vocabulary:

'double', 'add', 'divide'

Resources Needed:

A set of double-6 dominoes per two children.
Printable dominoes available at:

cgpbooks.co.uk/KS2-Maths-Investigations

Year 3 Pupil Book — page 14

14 **Section Two — Multiplication and Division**

Domino Division

Warm Up Questions

Look at the numbers in the circle.

1) Shade the numbers that can be divided by 3.
2) Draw a circle around the numbers that can be divided by 4.
3) Write down the numbers that can be divided by both 3 and 4.

12, 36

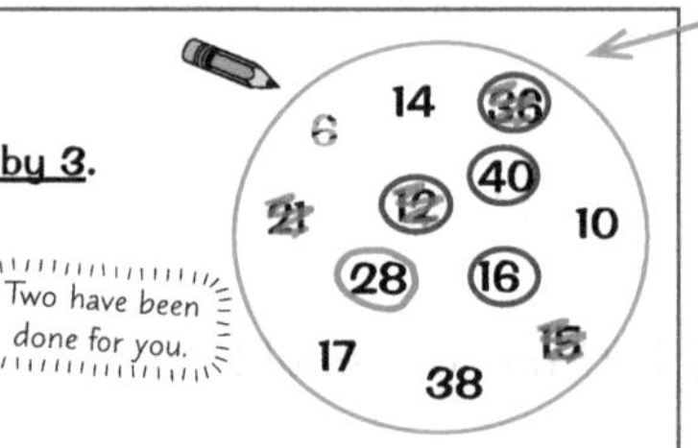

1 Share out a set of dominoes between you and a partner and put a domino in the middle of the table. Then take turns to place a domino at either end of the line of dominoes so that the numbers next to each other match. Double dominoes are put sideways.

After placing a domino:
- add the numbers at the ends of the line to get the Total End Value (T.E.V.).
- divide the Total End Value by any number that gives a whole number answer (except 1).

E.g.

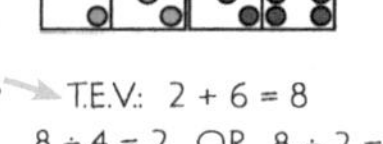
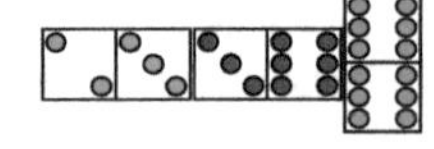
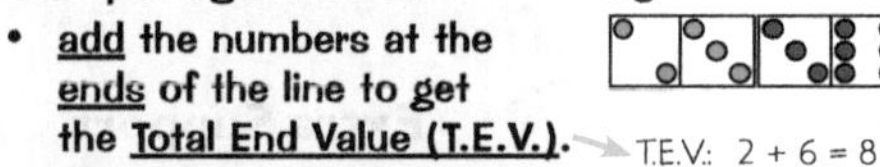

The answer is the number of points they get.
The first person to get at least 15 points wins.
Record your Total End Values, divisions and points below.

E.g.

Total End Values	Division	Points
3 + 2 = 5	5 ÷ 5 = 1	1
3 + 6 = 9	9 ÷ 3 = 3	1 + 3 = 4
double 3 + 2 = 8	8 ÷ 2 = 4	4 + 4 = 8
double 3 + 6 = 12	12 ÷ 2 = 6	8 + 6 = 14
1 + 6 = 7	7 ÷ 7 = 1	14 + 1 = 15

Section Two — Multiplication and Division

Points will be cumulative, so children should keep a running total.

Extra Support

- Children may need reminding about the link between times tables and dividing (i.e. inverse operations).
- You may also need to explain that when a number appears in both times tables, it means it can be divided by both numbers.

Extra Challenge

Children who finish quickly could be asked to add some extra numbers which divide by both 3 and 4 to the circle.

- Printed domino cards should be cut out in preparation for this investigation.
- Children should work in similar-ability pairs.
- It might be necessary to model how dominoes is usually played if there are children who have no experience of the game.
- Results and recording methods will vary, but may look something like this.
- Encourage children to think about the different divisions they could do and which will result in the most points, e.g. 15 ÷ 3 = 5 points and 15 ÷ 5 = 3 points, so dividing by 3 gains the most points.
- Children can always score 1 point by dividing the Total End Value by itself.

Domino Division

Year 3 Pupil Book — page 15

15

What different points can be made from a Total End Value of 18?

9 points (18 ÷ 2)
6 points (18 ÷ 3)
3 points (18 ÷ 6)
2 points (18 ÷ 9)
1 point (18 ÷ 18)

- The children aren't expected to know the 6 or 9 times tables. However, they may be able to arrive at the full answer using mental division, jottings or apparatus.
- Children should be encouraged to work systematically for this part of the investigation, e.g. 'What times table do I know really well? The 2 times table. Can I divide 18 by 2? Yes. It gives 9. Can I divide 18 by 3?' And so on...

3 **Play again but this time you can only divide by ..... and ..... . If your Total End Value won't divide by either of these numbers you score zero for that turn. Record your Total End Values, divisions and points below.**

Your teacher will tell you which numbers to write in the gaps.

Extra Support

This is a good opportunity to target particular times tables based on the needs of each pair of children. E.g. some children might need practice with the 2 and 5 times tables.

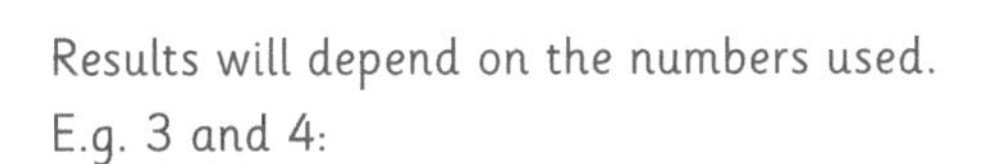

Results will depend on the numbers used.
E.g. 3 and 4:

Total End Value	Division	Points
3 + 3 = 6	6 ÷ 3 = 2	2
double 3 + 6 = 12	12 ÷ 3 = 4	2 + 4 = 6
3 + 5 = 8	8 ÷ 4 = 2	6 + 2 = 8
double 4 + 1 = 9	9 ÷ 3 = 3	8 + 3 = 11
4 + double 6 = 16	16 ÷ 4 = 4	11 + 4 = 15

- Children will have to be strategic in their choice of dominoes — they need to produce a total that will divide exactly by one of the numbers they've been given.
- They might sometimes have a choice in what number they divide by, e.g. 12 divides by both 3 and 4, but dividing by 3 results in more points.

Section Two — Multiplication and Division

Sometimes children might have to place dominoes which don't give them any points, as this time they can't just divide the Total End Value by itself (unless it happens to be one of the permitted numbers).

Extra Challenge

Ask children whether both numbers in their pair are equally likely to be used in the divisions, and why this is. E.g. 3 is easier to divide by than 7 because more possible Total End Values divide by 3 than by 7.
This relates to the Now Try This task on the next page.

Domino Division

Year 3 Pupil Book — page 16

16

4 **Syed can only divide his total end values by 4. How many different combinations of dominoes could be at the ends to allow him to score?**

T.E.V. = 4
4 + 0
4 + double 0
double 2 + 0
double 2 + double 0
3 + 1
2 + 2
2 + double 1

T.E.V. = 8
double 4 + 0
double 4 + double 0
6 + 2
6 + double 1
double 3 + 2
double 3 + double 1
5 + 3
4 + 4
4 + double 2

T.E.V. = 12
double 6 + 0
double 6 + double 0
double 5 + 2
double 5 + double 1
double 4 + 4
double 4 + double 2
6 + 6
6 + double 3

T.E.V. = 16
double 6 + 4
double 6 + double 2
double 5 + 6
double 5 + double 3

T.E.V. = 20 double 6 + double 4

So there are 29 possibilities in total.

Show your thinking

Explain how you made sure you found all of the pairs.

E.g. I knew that the T.E.V. must be an answer in the four times table and it must be less than 22, because that's the maximum T.E.V. So it could be 4, 8, 12, 16 or 20.
I found all the pairs of dominoes that can make these T.E.V.s, starting with the dominoes with the highest values and working down in size.

Colonel Calculator thinks he's got more chance of winning if he is allowed to divide by 8 rather than by 3.
Do you agree with him? Explain your reasoning.

Section Two — Multiplication and Division

Colonel Calculator is wrong.
He has less chance of winning because 3, 6, 9, 12, 15 and 18 can be divided by 3, but only 8 and 16 can be divided by 8. This means there are more Total End Values that can be divided by 3 than by 8. The fewer Total End Values that will divide by the number, the fewer possibilities there are to make them. Also, dividing by 8 will only give a score of 1 or 2, but dividing by 3 can give a score of up to 6.

Extra Support

You might need to lead some children into this task by asking them to find the maximum possible Total End Value.
It is 22, from double 6 and double 5.

- Some children may think that the maximum Total End Value is 24 (from double 6 + double 6), but there is only one of each domino in a set. Pointing this out to children at this stage can prevent them spending time coming up with extra combinations that aren't actually possible.
- Children should realise that total end values must be multiples of 4 that are less than 22 (4, 8, 12, 16 and 20).
- This gives children the beginning of a systematic process — organising possibilities by Total End Value.

Extra Challenge

It's possible that more combinations of dominoes make 8 and 16 than make 3, 6, 9, 15 and 18, so children could count all the different ways of making these Total End Values in order to be absolutely certain.

Showing Greater Depth

Children with sufficient depth of understanding will have:

- (Q4): independently identified the Total End Values that will allow Syed to score in the context of the investigation, then used this to devise a systematic method of working towards the correct answer.
- ('Now Try This'): been able to explain that when the number being divided by is relatively high, there are few Total End Values that divide by it. This results in fewer opportunities to score, and lower scores when they are able to score.

Multiplication with Number Rods

In this investigation, children explore multiplication by using number rods to find multiples of a number, and then common multiples of two numbers. It is helpful if children have some familiarity with the 3, 4 and 8 times tables.

Aims:

- Count in multiples to aid recall of 3, 4 and 8 times tables.
- Through doubling, connect the 4 and 8 times tables.
- Begin to work systematically.

Key Vocabulary:

'multiply', 'times', 'divide'

Resources Needed:

A set of number rods per two children.
Printable number rods are available at: cgpbooks.co.uk/KS2-Maths-Investigations

Year 3 Pupil Book — page 17

17

Multiplication with Number Rods

Warm Up Questions

Complete each pattern.

6, 9, 12, 15, 18, 21, 24, 27	36, 33, 30, 27, 24, 21, 18, 15
24, 20, 16, 12, 8, 4, 0	16, 24, 32, 40, 48, 56, 64
88, 80, 72, 64, 56, 48, 40	24, 28, 32, 36, 40, 44, 48

To become familiar with the multiples, it's useful to practise counting forwards and backwards but not always from 0, or from 1 times the number.

1. **Working with a partner, put lime green number rods (3 units long) end-to-end to make trains of different lengths.**

E.g. length = 9

You can draw around the rods or just sketch neatly.

Draw your trains below and record their lengths.

3, 6, 9, 12, 15, 18, 21, 24, 27, 30

- Number rods are great for visualising multiples.
- Working in pairs will allow children to talk about what they are doing. This should help them articulate their thinking better later in the investigation.

- Some children might not make their trains in order, but others will.
- The number of trains children are able to make depends on the number of rods they have.

Section Two — Multiplication and Division

Multiplication with Number Rods

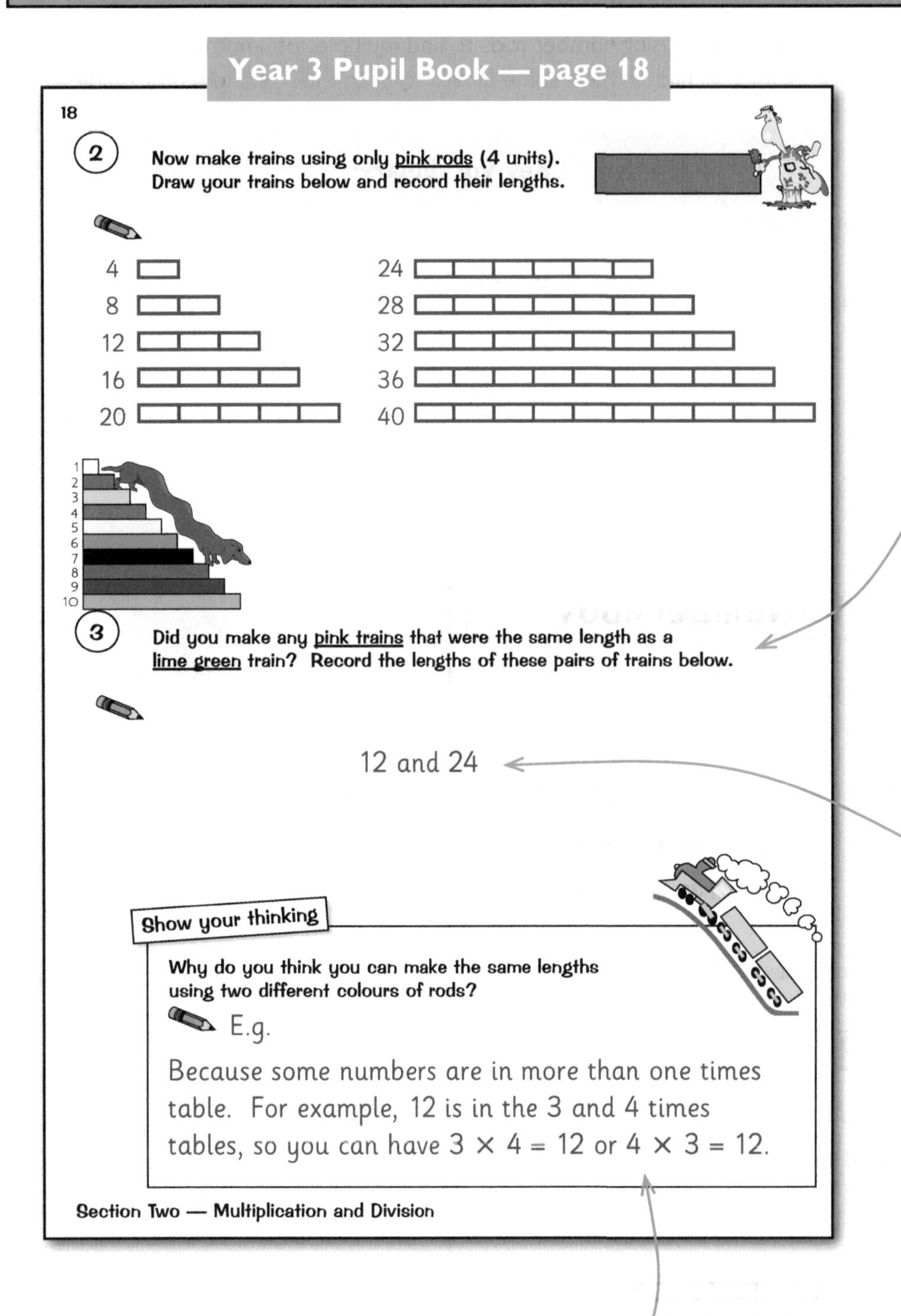

Extra Support

If some children haven't found trains of the same total length using the different coloured rods, look back at their work with them. Talk about which length trains they might have missed using lime green rods or using pink rods. This is a good opportunity to discuss the value of working systematically so possibilities aren't missed out.

- The lengths of these trains will be multiples of 12.
- These answers given here assume that children have 10 of each rod.

Extra Challenge

Those who finish quickly can be asked to predict what the next 2 or 3 lengths of trains will be that can be made with both lime green and pink rods.

- Answers will be worded in different ways but children should notice that the number 12 (or 24) can be made from both lime green and pink rods because it is a common multiple. At this stage they are not expected to know the term 'common multiple'. They will more likely say it is in both times tables.
- Alternatively, they may give an explanation using repeated addition. E.g. 3 + 3 + 3 + 3 = 12 and 4 + 4 + 4 = 12 too.

Multiplication with Number Rods

Year 3 Pupil Book — page 19

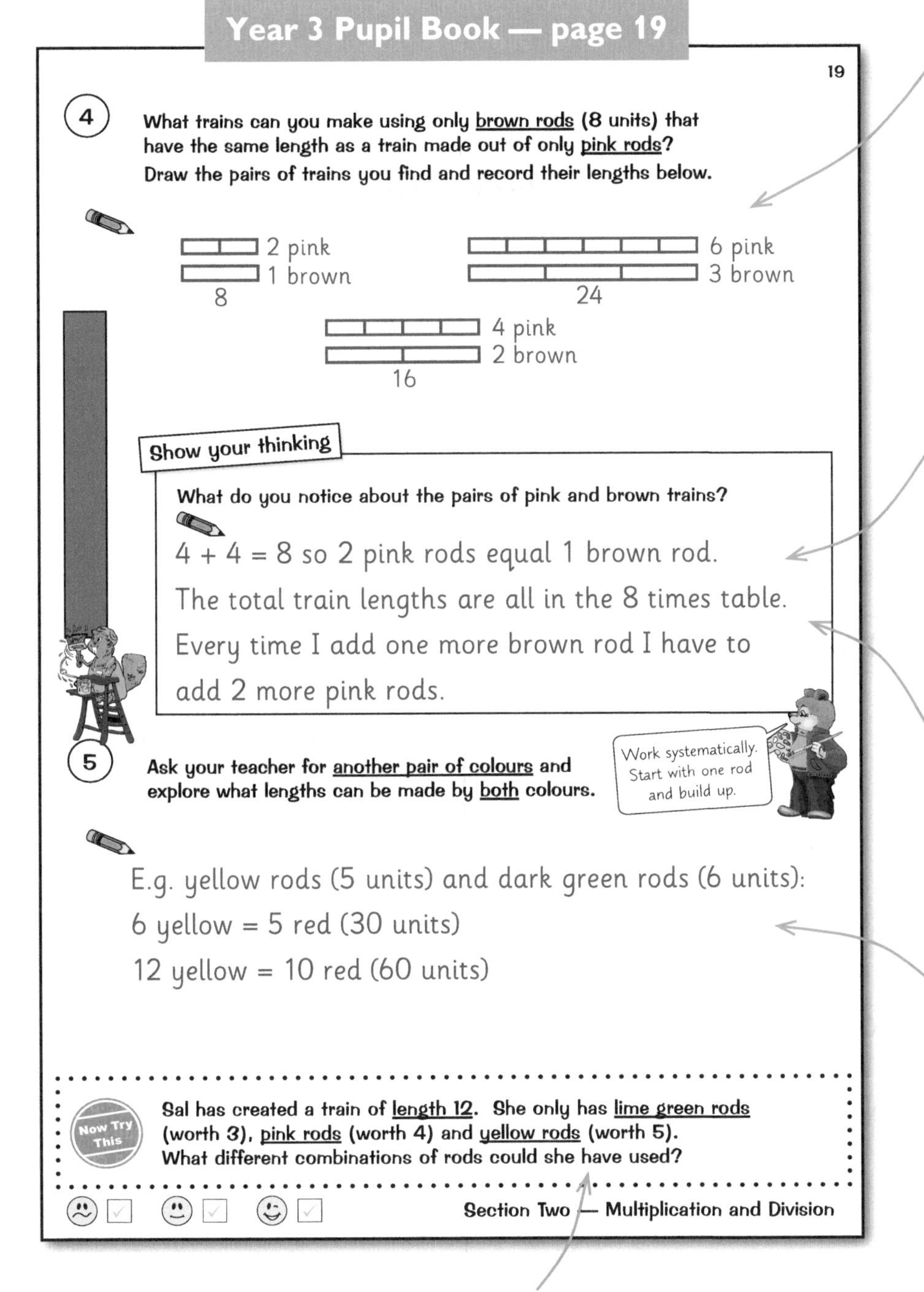

There are three different combinations that could have been used:
4 lime green, 1 lime green + 1 pink + 1 yellow or 3 pink rods

As children work in pairs to create these trains, they should begin to discuss the pattern they notice: for every 2 pink rods there is 1 brown rod. Encourage children to discuss with their partner what they notice. This will help them to articulate their answer for the Show your thinking box.

Extra Support

- To help children see the relationship between the numbers of brown and pink rods, suggest that they place their trains in order from smallest to largest.
- Children should be encouraged to notice the relationship between 4 and 8 which allows them to make trains of the same length.

Extra Challenge

For higher ability children, ask questions such as, 'Why can't you make a brown train the same length as 3 pink rods?'

- Answers will vary depending on which colour rods children are given.
- Now they are used to the task, they should naturally work in a systematic way. E.g. starting with 1 rod of each colour, then adding additional rods one at a time.
- This is a good opportunity to differentiate the activity according to mathematical ability and confidence with noticing patterns. Working in same ability pairs will work well for knowledge of times tables, speed of work and ability to discuss thoughts.

Showing Greater Depth

To show Greater Depth, children should be able to:

- make generalisations from their results, e.g. even-length rods can only make even-length trains, whereas odd-length rods can make both odd- and even-length trains.
- (Now Try This) use systematic working to demonstrate that they have found all the possible combinations.

Straw Multiplication

Children will investigate multiplication by placing straws vertically and horizontally and counting the crossing points. They'll record their results in a table, and look for patterns. This will allow them to come up with general rules for how to arrange the straws to create the maximum number of crossing points.

Aims:

- Recall and use multiplication facts.
- Notice patterns in which m objects are connected to n objects.
- Understand and use the terms horizontal and vertical.
- Be systematic in working.

Key Vocabulary:

'multiply', 'horizontal', 'vertical'

Resources Needed:

Art straws/sticks — 12 per child.

Year 3 Pupil Book — page 20

20

Straw Multiplication

Warm Up Questions

Complete these times tables.

3 × 4 = 12	4 × 8 = 32	8 × 2 = 16
3 × 6 = 18	4 × 7 = 28	8 × 5 = 40
3 × 8 = 24	4 × 9 = 36	8 × 10 = 80

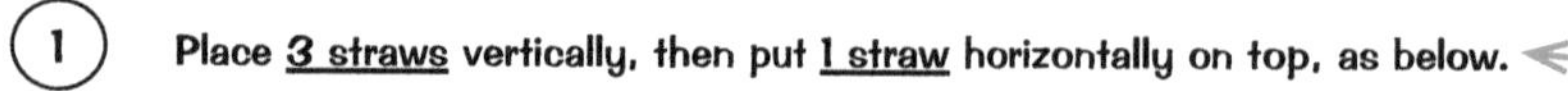

(1) Place 3 straws vertically, then put 1 straw horizontally on top, as below.

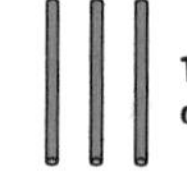

This has zero crossing points.

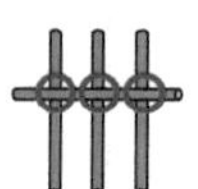

This has 3 crossing points.

Now add 3 more straws horizontally.

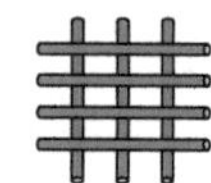

There are 12 crossing points

Using exactly 7 straws, what other arrangements can be made?
How many crossing points does each arrangement have?
Draw the arrangements below.

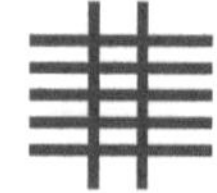

Section Two — Multiplication and Division

Extra Support

Children who struggle with the 8 times table should be encouraged to use the 4 times table and double the answers.

- Art straws are ideal for this investigation. Sticks or pencils would also work, or the formations could simply be drawn with a pencil and ruler.
- Make sure children understand that straws may only be placed vertically or horizontally — or else they may get extra crossing points.

- Some children might decide not to include 7 vertical straws or 7 horizontal straws, as this produces zero crossings.
- Whether zero crossings should be included in later questions can be directed by the teacher or considered by the class in a mini-plenary.

Straw Multiplication

Year 3 Pupil Book — page 21

21

(2) Now fill in the table below to record your arrangements and the number of crossing points each arrangement has.

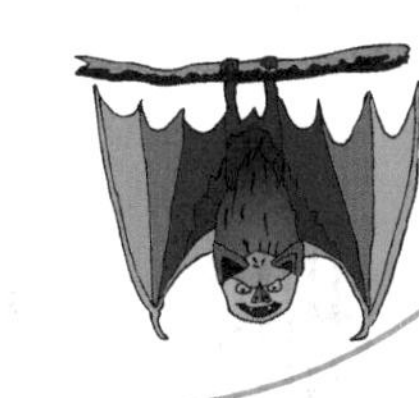

Number of straws	Vertical straws	Horizontal straws	Crossing points
7	7	0	0
7	6	1	6
7	5	2	10
7	4	3	12
7	3	4	12
7	2	5	10
7	1	6	6
7	0	7	0

The largest number of crossing points is 12 .

Show your thinking

What do you notice about the numbers in your table?

E.g.
When you add the horizontal straws and the vertical straws together you get the total number of straws. When you multiply them you get the number of crossing points.
E.g. 2 vertical straws and 5 horizontal straws = 7 straws in total (2 + 5 = 7) and 10 crossings (2 × 5 = 10).

- Children might notice that as the number of vertical straws increases, the number of horizontal straws decreases. They might use this observation to help be systematic in later questions.
- Children may realise that four of these arrangements are simply 90 degree rotations of the other arrangements and decide not to count them. E.g.

Extra Support

If children struggle to explain the relationship, suggest they use the words 'add' and 'multiply'.

Extra Challenge

Children could also investigate the relationship between the number of straws used and the number of different arrangements:

- Assuming arrangements with zero crossing points are included, and rotated arrangements are also included, the number of arrangements will always be the number of straws + 1.
- Pupils may be able to spot this from the table — if they look at the numbers in, say, the 'horizontal straws' column, they'll see 0, 1, 2, 3... 7. So the number of rows in the table is the number of straws, plus a row for 0.

Straw Multiplication

Year 3 Pupil Book — page 22

22

(3) Choose an <u>even number</u> of straws between 4 and 12.
Draw the arrangements you can make and fill in the table below.

 E.g. Number of straws = 8

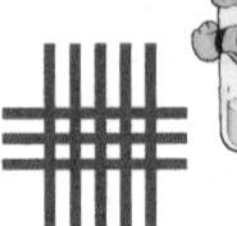

Number of straws	Vertical straws	Horizontal straws	Crossing points
8	8	0	0
8	7	1	7
8	6	2	12
8	5	3	15
8	4	4	16
8	3	5	15
8	2	6	12
8	1	7	7
8	0	8	0

The largest number of crossing points is 16 .

Section Two — Multiplication and Division

- Children may realise that if they start with the smallest possible number of either horizontal or vertical straws, and increase it by one straw at a time, they'll know when they've included all the possibilities.
- If children record their results systematically in the table, they'll see that the maximum number of crossing points is formed when the number of vertical and horizontal straws are most similar. It is worth leading a class discussion about this to prepare the children for Q4.
- The members of the class will have chosen different numbers of straws to use. The arrangement which gave the greatest number of crossings for each number of straws could be collated in a table on the board so that children can notice the relationship more easily.
- You can also ask the children what they notice about the numbers in the 'Crossing points' column. Children who had included rotations of patterns should notice the symmetry, and (with some prompting) explain that this is because, e.g., 8H 0V is the same shape as 0H 8V, but rotated a quarter turn, so the shapes are repeated.

Extra Challenge

If children choose a small number of straws and finish quickly, they could be asked to investigate the number of straws that is one more or one less than the even number they chose (if they didn't investigate this earlier). This will give them two cases that are easy to compare.

Straw Multiplication

Year 3 Pupil Book — page 23

23

④ **How should you arrange a set of straws to get the largest number of crossing points? Try to write a rule for getting the most crossing points.**

To get the most crossing points with an even number of straws, the number of horizontal and vertical straws should be equal. To get the most crossing points with an odd number of straws, the number of horizontal straws should be one more or less than the number of vertical straws.

Children may find it helpful to work with a partner here. This will give them a chance to verbalise their thoughts.

Extra Support

- If children are struggling, encourage them to look at the cases where the total number of straws is even first. The table on the previous page will help them here.
- They may then realise that if the total number of straws is odd, the numbers of horizontal and vertical straws are consecutive (or next to each other) in the arrangement that produces the maximum number of crossing points.

⑤ **Try out your rule with a different odd number of straws and a different even number of straws. Predict the arrangements that will have the greatest number of crossing points and then check you are correct.**

E.g. With 9 straws the greatest number of crossing points will be when there are 4 horizontal straws and 5 vertical straws. 4 × 5 = 20 crossing points. I know I'm correct because the other arrangements have: 3 × 6 = 18, 2 × 7 = 14 and 1 × 8 = 8 crossing points

With 6 straws the greatest number of crossing points will be when there are 3 horizontal straws and 3 vertical straws. 3 × 3 = 9 crossing points. I know I'm correct because the next highest will have 4 × 2 = 8 crossing points.

Children may notice that with an odd number of straws the greatest number of crossing points is always even. However, with an even number of straws, the greatest number of crossing points can be odd or even (in fact, it alternates between being odd and even as the number of even straws increases).

Sam Speculation made a formation with exactly 18 crossings. How many different ways could he have done this? What's the smallest number of straws he could have used?

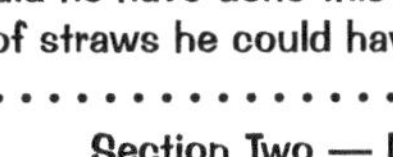

Section Two — Multiplication and Division

There are 3 different formations that create 18 crossings:
1V 18H or 18V 1H (using 19 straws),
2V 9H or 9V 2H (using 11 straws),
3V 6H or 6V 3H (using 9 straws) — so 9 straws is the smallest number he could have used.

Some children may notice that all the numbers in the vertical/horizontal formations are 'factors' of 18. They are unlikely to know the term factor yet, so they might say, 'They make 18 when I times them together'.

Showing Greater Depth

To show Greater Depth, children should identify that:

- with an even number of straws, the greatest number of crossing points is half of the total number of straws multiplied by itself.
- with an odd number of straws, you can find the greatest number of crossing points by halving the number of straws, then multiplying together the two nearest whole numbers — so, for 7 straws, you would half 7 to get 3.5, then multiply together the whole numbers either side of this: 3 × 4 = 12 crossing points.

Halves, Thirds and Quarters

In this investigation, children will share out cubes or counters to produce equal groups. They'll use their groupings to generate fractions that are equivalent to a half, a third or a quarter. They'll then look for patterns in their sets of equivalent fractions and generate a rule from the patterns.

Aims:

- Recognise and use both unit and non-unit fractions.
- Recognise equivalent fractions and show them using diagrams.
- Notice patterns in numbers.
- Create a rule based on patterns observed.

Key Vocabulary:

'half', 'third', 'quarter', 'equal', 'equivalent', 'denominator', 'numerator', 'multiples'

Resources Needed:

Small cubes or counters — about 40 per child.

Year 3 Pupil Book — page 24

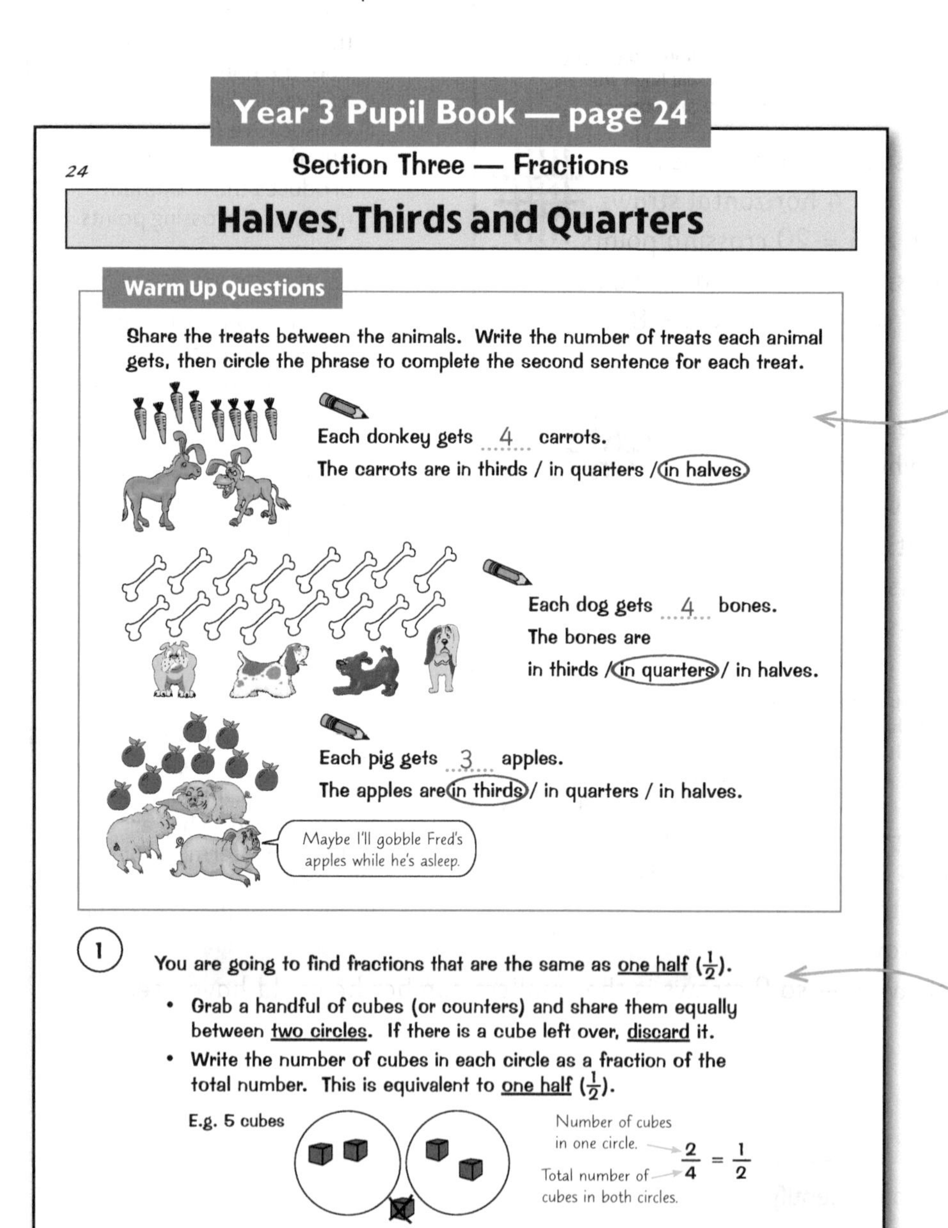

24

Section Three — Fractions

Halves, Thirds and Quarters

Warm Up Questions

Share the treats between the animals. Write the number of treats each animal gets, then circle the phrase to complete the second sentence for each treat.

Each donkey gets 4 carrots.
The carrots are in thirds / in quarters / in halves (circled)

Each dog gets 4 bones.
The bones are in thirds / in quarters (circled) / in halves.

Each pig gets 3 apples.
The apples are in thirds (circled) / in quarters / in halves.

Maybe I'll gobble Fred's apples while he's asleep.

1. You are going to find fractions that are the same as one half ($\frac{1}{2}$).
   - Grab a handful of cubes (or counters) and share them equally between two circles. If there is a cube left over, discard it.
   - Write the number of cubes in each circle as a fraction of the total number. This is equivalent to one half ($\frac{1}{2}$).

E.g. 5 cubes

Number of cubes in one circle. Total number of cubes in both circles. $\frac{2}{4} = \frac{1}{2}$

Record your work on the next page.
Draw small squares inside the circles to represent the cubes or counters.

Section Three — Fractions

Children may use a variety of methods to share the treats out. They might:

- Draw circles around groups of treats and check there is the same number in each group.
- Number the treats, e.g. 1, 2, 1, 2…
- Model the problem with cubes or counters, physically sharing them into the correct number of groups.

Ask the children what type of numbers mean they have a cube left over. They should be able to identify that an odd number of cubes will result in one left over.

Halves, Thirds and Quarters

Year 3 Pupil Book — page 25

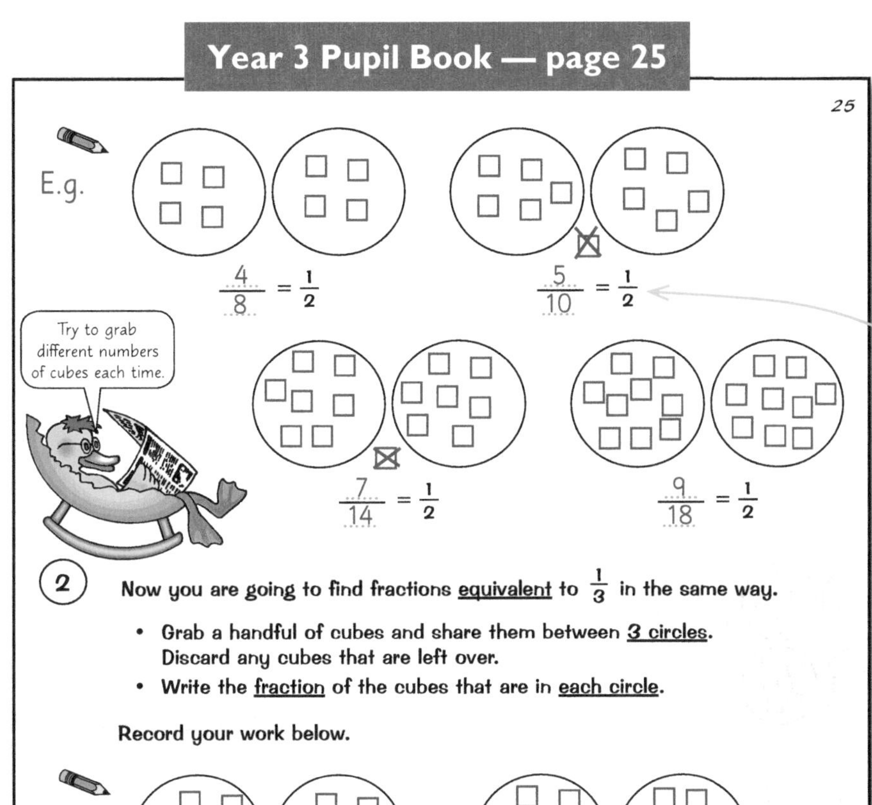

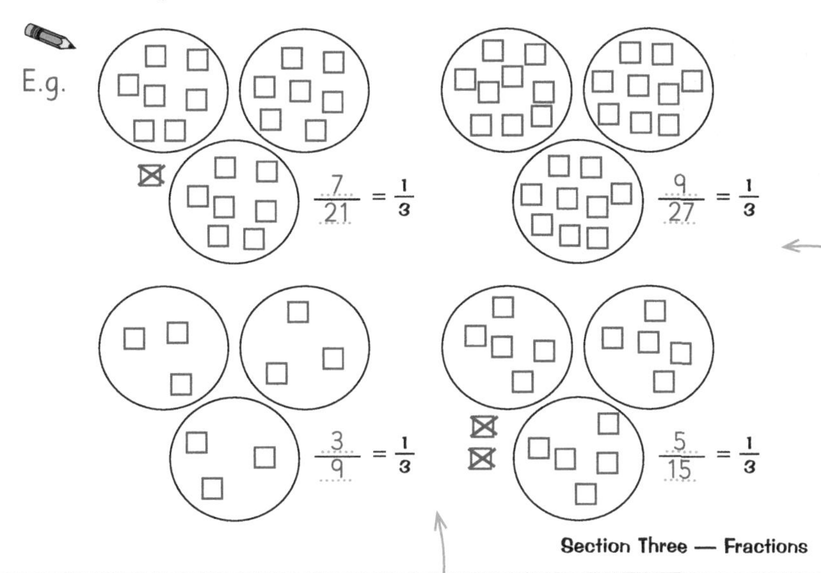

Keep reminding children that the fractions they write must have the number of cubes in each circle (each group must be equal) as the numerator (top number), and the total number of cubes in the circles as the denominator (bottom number).

Encourage children to recognise that when they are dividing into 3 groups, the remainder will always be 1 or 2.

Pupils may need to be reminded not to count the discounted cube as part of the denominator, e.g. 22 instead of 21 in the first answer.

This activity will also help cement children's understanding of what the denominator means in a fraction. A denominator of 2 tells us that 2 parts make a whole, and a denominator of 3 tells us that 3 parts make a whole.

This could be reinforced by asking children questions such as:

- If I were to share my cubes between 5 groups, what would my denominator be (once it is cancelled down)?
- If my denominator were 4, how many parts would I need to make a whole?

Halves, Thirds and Quarters

Extra Support

Some children might need help to know how many circles to draw. Remind them that the denominator is the number of equal parts that the whole is split into.

Year 3 Pupil Book — page 25

26

③ Now you are going to find fractions <u>equivalent</u> to $\frac{1}{4}$ in the same way.

You'll need to draw your own circles this time. Try to find at least 4 equivalent fractions.

E.g.

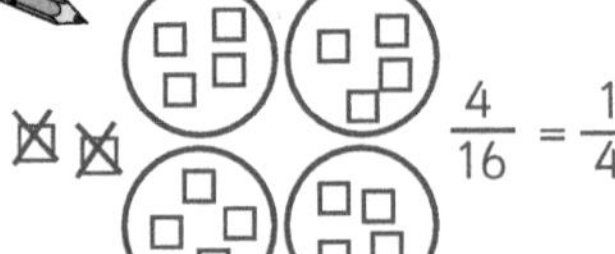

$\frac{4}{16} = \frac{1}{4}$

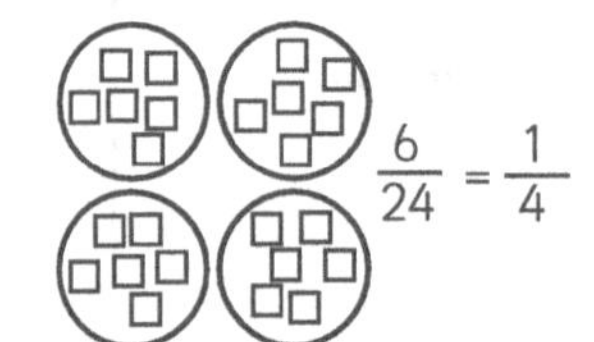

$\frac{6}{24} = \frac{1}{4}$

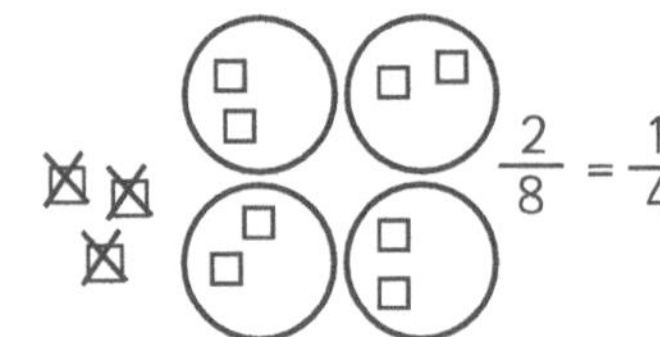

$\frac{2}{8} = \frac{1}{4}$

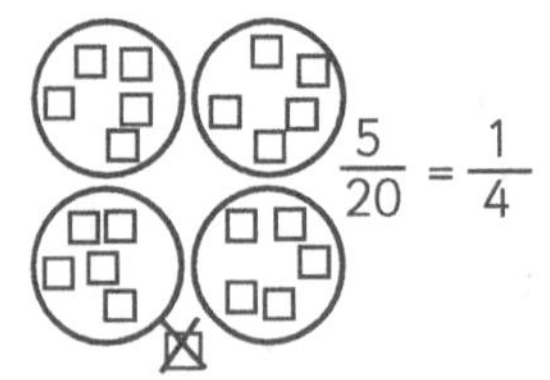

$\frac{5}{20} = \frac{1}{4}$

Ask children what the remainders could be now we are dividing into 4 groups (they could be 1, 2, or 3), and how they know.

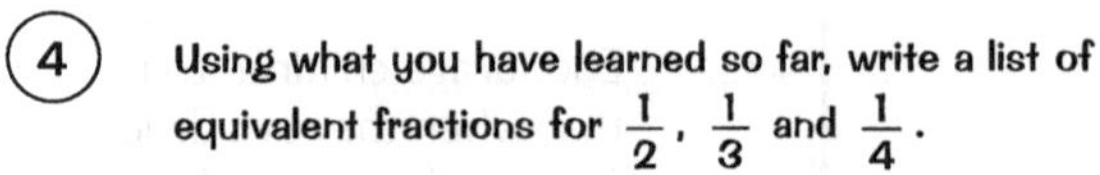

④ Using what you have learned so far, write a list of equivalent fractions for $\frac{1}{2}$, $\frac{1}{3}$ and $\frac{1}{4}$.

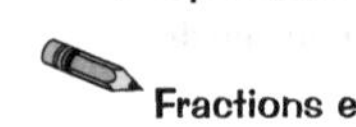

Fractions equivalent to $\frac{1}{2}$:

E.g.

$\frac{4}{8}$ $\frac{5}{10}$ $\frac{7}{14}$ $\frac{9}{18}$

Fractions equivalent to $\frac{1}{3}$:

$\frac{7}{21}$ $\frac{9}{27}$ $\frac{3}{9}$ $\frac{5}{15}$

Fractions equivalent to $\frac{1}{4}$:

$\frac{4}{16}$ $\frac{6}{24}$ $\frac{2}{8}$ $\frac{5}{20}$

Section Three — Fractions

The fractions produced by each member of the class could be collected together and placed in order (possibly written on small squares of paper — with the opportunity for pupils holding each piece of paper to get up and put themselves in order). This will help children see the pattern in the denominators and numerators.

Halves, Thirds and Quarters

Year 3 Pupil Book — page 27

27

Show your thinking

What do you notice about the denominators of the fractions?

The denominators in fractions equivalent to $\frac{1}{2}$ are all multiples of 2.
The denominators in fractions equivalent to $\frac{1}{3}$ are all multiples of 3.
The denominators in fractions equivalent to $\frac{1}{4}$ are all multiples of 4.

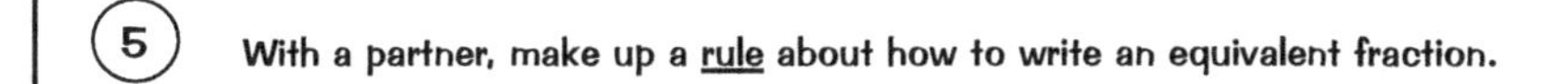

5 **With a partner, make up a rule about how to write an equivalent fraction.**

To get an equivalent fraction, you multiply the denominator of the original fraction by a number to get the new denominator. You then have to multiply the numerator by the same number to get the new numerator.

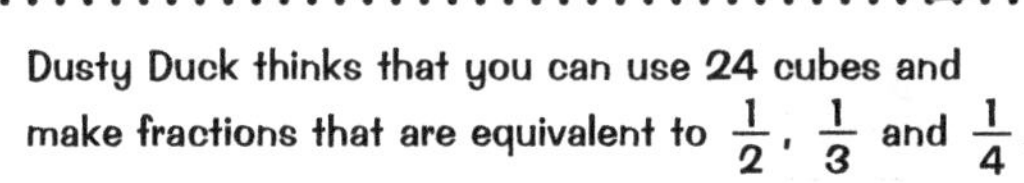

Now Try This

Dusty Duck thinks that you can use 24 cubes and make fractions that are equivalent to $\frac{1}{2}$, $\frac{1}{3}$ and $\frac{1}{4}$.

Do you agree with Dusty? Explain your reasoning.

Section Three — Fractions

24 can be divided equally: in half (12 in each group) $\frac{12}{24} = \frac{1}{2}$

in thirds (8 in each group) $\frac{8}{24} = \frac{1}{3}$

in quarters (6 in each group) $\frac{6}{24} = \frac{1}{4}$

So Dusty Duck is correct.

- Children might refer to the possible denominators as being, e.g., in the two times table, or being even — both acceptable answers.
- If they write that denominators in fractions equivalent to $\frac{1}{4}$ are just even, ask them to try to write an equivalent fraction by sharing 6 cubes into 4 groups.

Extra Challenge

Children could consider whether it is true that:

- all multiples of 4 are multiples of 2.
- all multiples of 2 are multiples of 4.

To generate fractions equivalent to a unit fraction, you can also find the new numerator by dividing the new denominator by the denominator of the unit fraction.

E.g. $\frac{1}{3} = \frac{(18 \div 3)}{18} = \frac{6}{18}$

More able pupils could be asked to give an example each to demonstrate their rule.

Extra Support

Pupils who are struggling could work in pairs/groups and take a fraction each to see if they can use the 24 cubes to make an equivalent fraction.

Extra Challenge

Children could try to find more numbers that can be used to make a fraction equivalent to a half, a third and a quarter.

(The numbers that can be used are the multiples of 12, so 12, 24, 36, 48...)

Showing Greater Depth

Children working at Greater Depth will be able to:

- (Now Try This) make up a rule to generate a fraction equivalent to a unit fraction — this involves looking for patterns and then generalising.

Tenths Art

In this investigation, children will use colouring to represent fractions of an object that is divided into tenths. They'll write the fractions and generate addition calculations using them.

Aims:

- Count up and down in tenths.
- Recognise that tenths arise from dividing an object into 10 equal parts.
- Add fractions with the same denominator.

Key Vocabulary:

'tenths', 'denominator', 'numerator', 'equal'

Resources Needed:

Coloured pencils.
Printable tenths strips are available at: cgpbooks.co.uk/KS2-Maths-Investigations

Year 3 Pupil Book — page 28

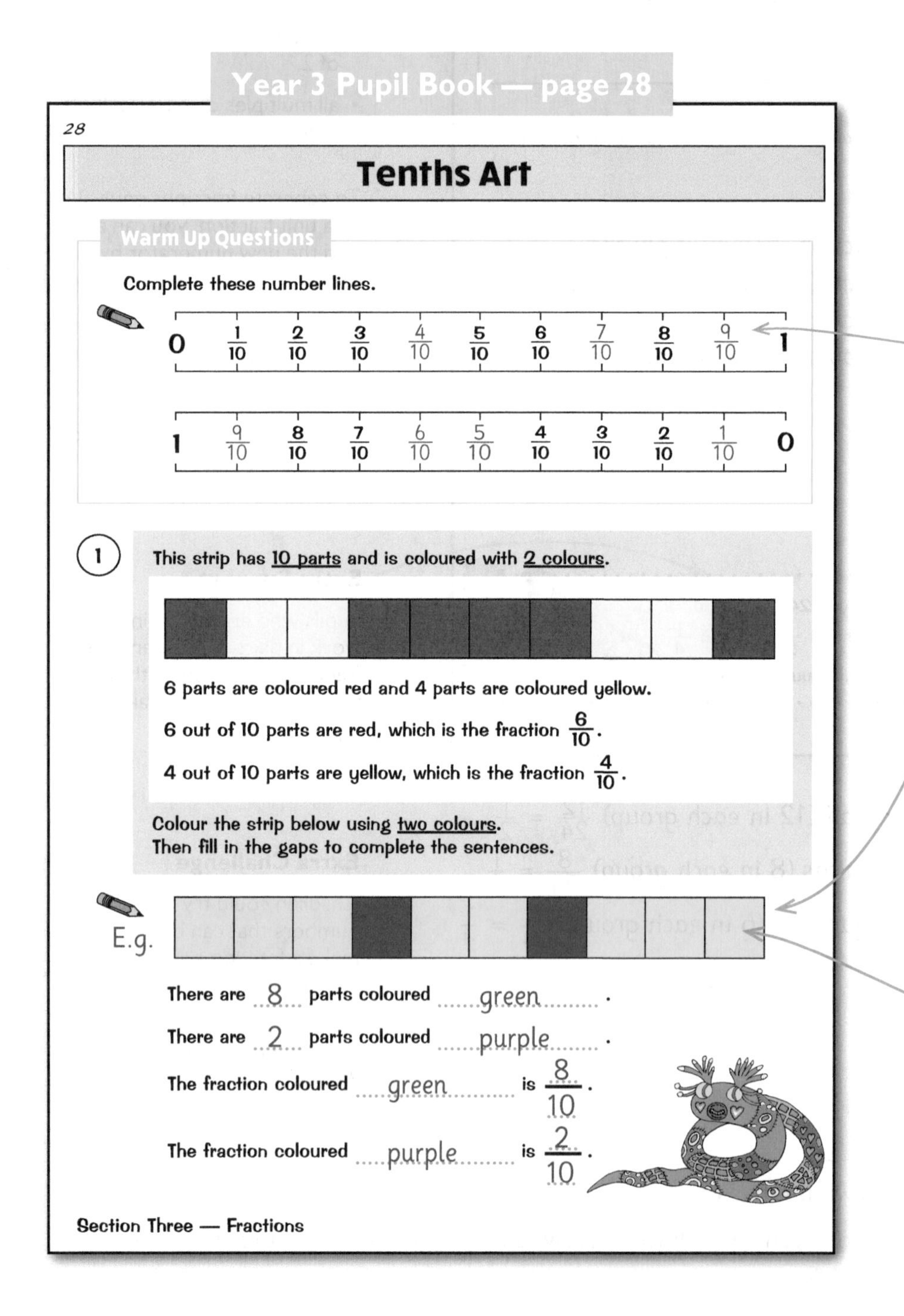

28

Tenths Art

Warm Up Questions

Complete these number lines.

0, $\frac{1}{10}$, $\frac{2}{10}$, $\frac{3}{10}$, $\frac{4}{10}$, $\frac{5}{10}$, $\frac{6}{10}$, $\frac{7}{10}$, $\frac{8}{10}$, $\frac{9}{10}$, 1

1, $\frac{9}{10}$, $\frac{8}{10}$, $\frac{7}{10}$, $\frac{6}{10}$, $\frac{5}{10}$, $\frac{4}{10}$, $\frac{3}{10}$, $\frac{2}{10}$, $\frac{1}{10}$, 0

1. This strip has 10 parts and is coloured with 2 colours.

6 parts are coloured red and 4 parts are coloured yellow.

6 out of 10 parts are red, which is the fraction $\frac{6}{10}$.

4 out of 10 parts are yellow, which is the fraction $\frac{4}{10}$.

Colour the strip below using two colours.
Then fill in the gaps to complete the sentences.

E.g.

There are 8 parts coloured green.

There are 2 parts coloured purple.

The fraction coloured green is $\frac{8}{10}$.

The fraction coloured purple is $\frac{2}{10}$.

Section Three — Fractions

- Ensure children understand that each section of the strip is $\frac{1}{10}$ of the whole thing.
- It is important to point out that 1 could also be written as $\frac{10}{10}$.

Extra Challenge

Children could try to colour the strips symmetrically to add another dimension to the investigation. However, this means only the following fractions can be coloured: $\frac{2}{10}$, $\frac{4}{10}$, $\frac{6}{10}$ and $\frac{8}{10}$.

If any children colour the first 5 tenths one colour, they're likely to be able to see that they've coloured half the strip, and so $\frac{1}{2}$ must be equivalent to $\frac{5}{10}$.

Tenths Art

Year 3 Pupil Book — page 29

29

(2) When you **add** your 2 fractions together, the answer will be $\frac{10}{10}$ = 1.

Complete the sum below with your fractions from the previous page.

E.g.

$\frac{8}{10} + \frac{2}{10} = \frac{10}{10}$ = 1 whole

Children should notice that the numerators of the fractions add to 10, as there are 10 parts of the whole strip.

(3) This time use **3 colours** to colour this strip.

E.g.

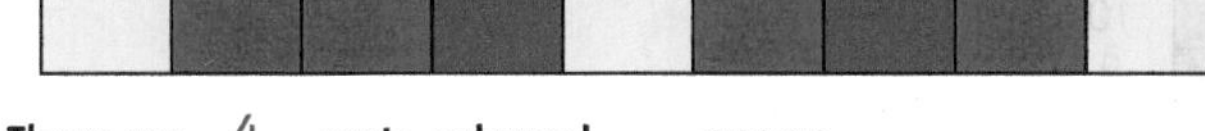

There are 4 parts coloured green.

There are 4 parts coloured red.

There are 2 parts coloured purple.

The fraction coloured green is $\frac{4}{10}$.

The fraction coloured red is $\frac{4}{10}$.

The fraction coloured purple is $\frac{2}{10}$.

Now write an addition calculation using your fractions. $\frac{4}{10} + \frac{4}{10} + \frac{2}{10} = \frac{10}{10}$ = 1 whole

Extra Challenge

Children could work out how many different addition calculations there are using only 2 colours. By working systematically they should be able to find all the calculations, i.e. $\frac{1}{10} + \frac{9}{10}$, $\frac{2}{10} + \frac{8}{10}$...

$\frac{1}{10} + \frac{9}{10}$ might be considered to be the same as $\frac{9}{10} + \frac{1}{10}$. However, in the context of colouring tenths, it is valid to consider them as different calculations as they represent, e.g., 9 red parts/1 blue part and 9 blue parts/1 red part.

(4) Use the **same 3 colours** to colour this strip in a **different** way. Then write an **addition calculation** with your fractions.

E.g.

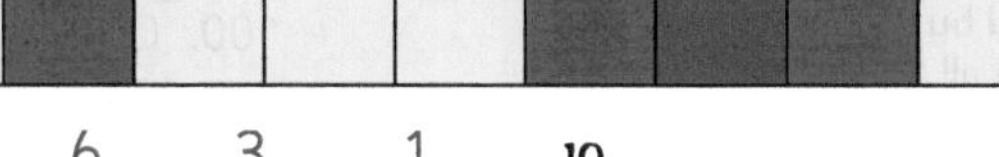

$\frac{6}{10} + \frac{3}{10} + \frac{1}{10} = \frac{10}{10}$ = 1 whole

Section Three — Fractions

Extra Challenge

Again, children could try using symmetrical colours and see how this changes the number of different addition calculations there are.

(There are only two ways that the 10 parts can be split symmetrically between 3 colours (6 + 2 + 2 and 4 + 4 + 2).

Ask children if they think they could colour the same number of squares in each colour. This is not possible with three colours because 10 doesn't divide exactly by 3.

Tenths Art

Year 3 Pupil Book — page 30

5 Now you're going to create your own piece of fraction art. Colour each strip and then write the addition fraction at the end of each row.

E.g.

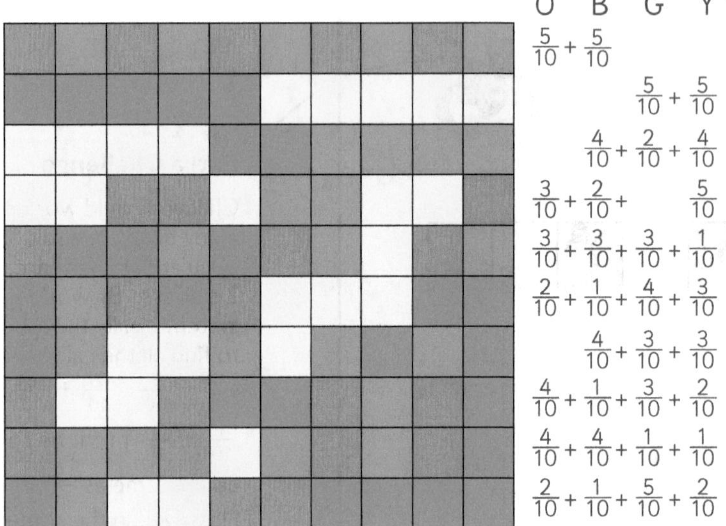

O B G Y

$\frac{5}{10} + \frac{5}{10}$

$\frac{5}{10} + \frac{5}{10}$

$\frac{4}{10} + \frac{2}{10} + \frac{4}{10}$

$\frac{3}{10} + \frac{2}{10} + \frac{5}{10}$

$\frac{3}{10} + \frac{3}{10} + \frac{3}{10} + \frac{1}{10}$

$\frac{2}{10} + \frac{1}{10} + \frac{4}{10} + \frac{3}{10}$

$\frac{4}{10} + \frac{3}{10} + \frac{3}{10}$

$\frac{4}{10} + \frac{1}{10} + \frac{3}{10} + \frac{2}{10}$

$\frac{4}{10} + \frac{4}{10} + \frac{1}{10} + \frac{1}{10}$

$\frac{2}{10} + \frac{1}{10} + \frac{5}{10} + \frac{2}{10}$

It might help children to write the names of the colours they have used as column headings. This comes in useful for Q6 too.

6 Work out what fraction of the whole square (100 parts) you have coloured with each colour. E.g. red = $\frac{24}{100}$, blue = $\frac{13}{100}$.

E.g. Orange = $\frac{23}{100}$ Green = $\frac{26}{100}$

Blue = $\frac{25}{100}$ Yellow = $\frac{26}{100}$

- Make sure children understand the denominator is now 100 as the whole thing is divided up into 100 parts.
- If children have written their fractions in columns (as in the example above), they can just add the numerators in each column, remembering to change the denominators to 100. Otherwise, they should just count the total number of squares of each colour.
- Ask the children how they could check their fractions are correct. (Adding the numerators should give 100.)

Now Try This How many different addition calculations can you find by using 3 colours to colour a strip with 10 parts? Each strip must have all 3 colours. Show your working. How can you be sure you've found all the calculations?

Section Three — Fractions   

There are 8:

$\frac{1}{10} + \frac{1}{10} + \frac{8}{10}$ ~~$\frac{2}{10} + \frac{1}{10} + \frac{7}{10}$~~ ~~$\frac{3}{10} + \frac{1}{10} + \frac{6}{10}$~~

$\frac{1}{10} + \frac{2}{10} + \frac{7}{10}$ $\frac{2}{10} + \frac{2}{10} + \frac{6}{10}$ ~~$\frac{3}{10} + \frac{2}{10} + \frac{5}{10}$~~

$\frac{1}{10} + \frac{3}{10} + \frac{6}{10}$ $\frac{2}{10} + \frac{3}{10} + \frac{5}{10}$ $\frac{3}{10} + \frac{3}{10} + \frac{4}{10}$

$\frac{1}{10} + \frac{4}{10} + \frac{5}{10}$ $\frac{2}{10} + \frac{4}{10} + \frac{4}{10}$ ~~$\frac{3}{10} + \frac{4}{10} + \frac{3}{10}$~~

~~$\frac{1}{10} + \frac{5}{10} + \frac{4}{10}$~~ ~~$\frac{2}{10} + \frac{5}{10} + \frac{3}{10}$~~

Encourage children to work systematically by using columns, beginning with the lowest numerator and increasing by 1 each time. If they notice a repeated addition calculation they should cross it out.

Showing Greater Depth

Children working at Greater Depth will be able to:

- (Now Try This) work systematically so that they know when they've found all the possible addition calculations. They may also be able to explain their approach to someone else.

Parallel or Perpendicular

This investigation involves creating shapes, either using an elastic band on a pegboard, or by drawing a shape on an image of a pegboard. Properties of the shapes are then identified.

Aims:

- Identify and name right angles.
- Identify horizontal and vertical lines.
- Identify pairs of parallel and perpendicular lines.

Key Vocabulary:

'parallel', 'perpendicular', 'horizontal', 'vertical', 'right angle', 'diagonal'

Resources Needed:

If possible, pegboards and elastic bands. Extra printable pegboards available at:
cgpbooks.co.uk/KS2-Maths-Investigations

Prior to this investigation, pupils should know the meaning of the terms 'parallel', 'perpendicular' and 'right angle'. It might be useful to start the session with a recap of this vocabulary.

Year 3 Pupil Book — page 31

Section Four — Geometry and Measurement 31

Parallel or Perpendicular

Warm Up Questions

Match each label to a diagram.

Parallel Horizontal Perpendicular Vertical

Which shape has two pairs of parallel sides? B

Which shape has a pair of perpendicular sides? D

A B C D

1. Look at the shapes made on each of the pegboards below.
   - Draw a tick (✓) over lines which are perpendicular to each other.
   - Draw a cross (x) over lines which are parallel to each other.
   - Count the number of right angles in the shape and label them.

Number of right angles = 1

Number of right angles = 3

2. Draw your own shapes on the following pegboards and complete the sentences for each shape. Colour the vertical lines in each shape blue, and the horizontal lines green.

E.g.

This shape has 4 sides.

It has 1 pair(s) of parallel sides.

It has 2 right angle(s).

Section Four — Geometry and Measurement

- Parallel lines run in the same direction and are always the same distance apart, so will never meet.
- Perpendicular lines meet at a right angle.
- It is important that children realise that parallel and perpendicular lines can be in any orientation, not always horizontal/vertical.

Extra Support

Children may need help to see that:

- lines may need to be labelled as both parallel and perpendicular.
- there can be multiple pairs of perpendicular lines in a shape.

- You may need to remind pupils that right angles are labelled with a square marker. They should be drawing these labels in their diagrams at this stage.
- Pupils should also recognise that there can be more than one right angle in a shape, e.g. a square.

Parallel or Perpendicular

Year 3 Pupil Book — page 32

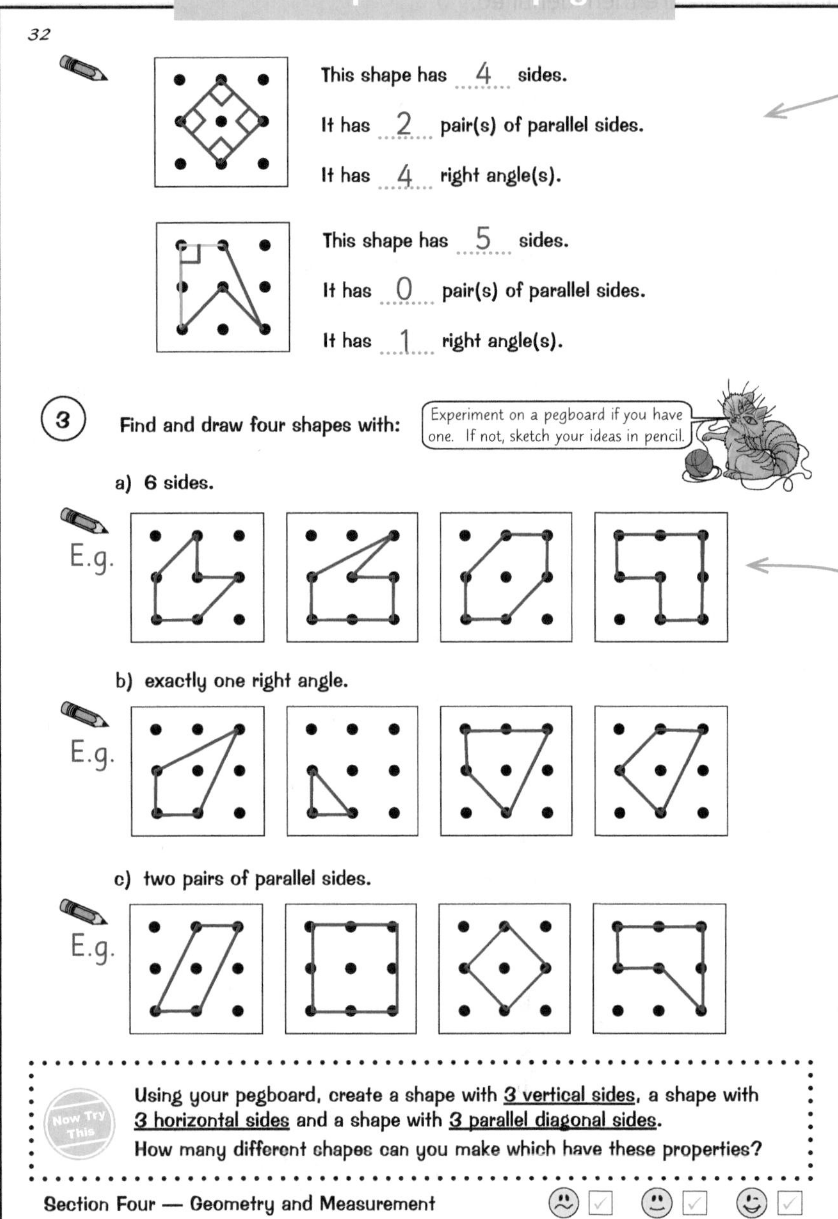
32

This shape has 4 sides.
It has 2 pair(s) of parallel sides.
It has 4 right angle(s).

This shape has 5 sides.
It has 0 pair(s) of parallel sides.
It has 1 right angle(s).

3. Find and draw four shapes with:

Experiment on a pegboard if you have one. If not, sketch your ideas in pencil.

a) 6 sides.

E.g.

b) exactly one right angle.

E.g.

c) two pairs of parallel sides.

E.g.

Now Try This

Using your pegboard, create a shape with 3 vertical sides, a shape with 3 horizontal sides and a shape with 3 parallel diagonal sides.
How many different shapes can you make which have these properties?

Section Four — Geometry and Measurement

- Right angles can be trickier to spot when the sides of the shape are not horizontal and vertical. Encourage children to rotate the page to check they haven't missed any right angles.
- It is possible for a shape to have three sides that are all parallel to each other, rather than just a pair. See below for an example.

Extra Challenge

- Children could experiment to see how many different shapes they could produce with these characteristics. Extra pegboards can be printed out for them to record their work on.
- They could also set challenges for a partner. E.g. to find a 5-sided shape with no parallel sides. (Children should try to find a solution to the challenge they set.)

E.g.

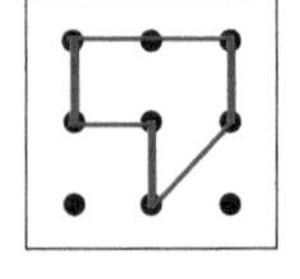
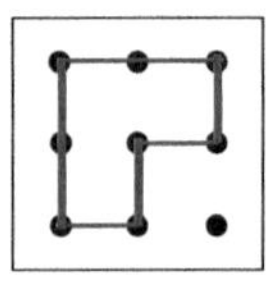
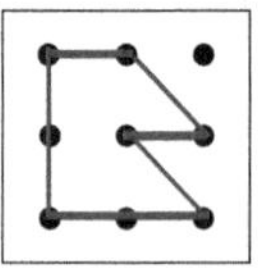
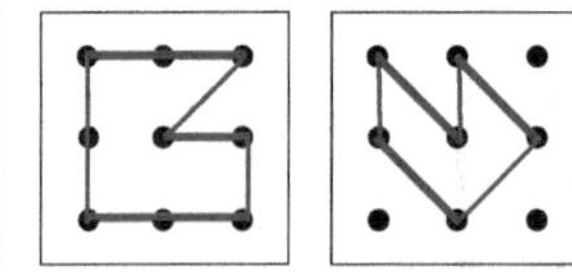
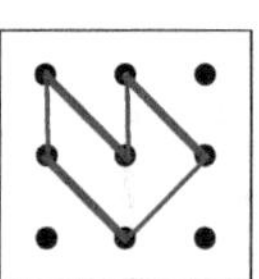
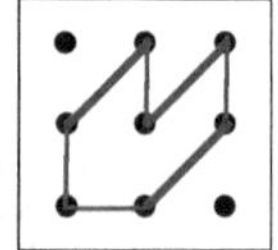

- The shapes with 3 vertical sides can be rotated 90° to give shapes with 3 horizontal sides.
- More shapes are possible.
- Unlike in previous questions, these shapes may be easier to find by drawing onto an image of a pegboard — the required vertical, horizontal or diagonal lines can be drawn in first.

Showing Greater Depth

Children working at Greater Depth will be able to:

- (Q3) adapt a shape so that it has the desired characteristic, e.g. "This shape has 2 right angles, but if I unhook the elastic band from this peg, it will have exactly 1."
- (Now Try This) work systematically to try to find all the possibilities. E.g. start with two long vertical sides and find all the possible ways of connecting the third vertical side.

Tetrominoes

In this investigation, children will create different shapes by placing squares edge to edge. They'll then consider whether any of their shapes are in fact copies. They'll also find the perimeters of the shapes they've created by counting squares, and try to explain any differences.

Aims:

- Work systematically to find different arrangements of shapes.
- Identify matching shapes.
- Find perimeters by counting centimetre squares.

Key Vocabulary:

'perimeter'

Resources Needed:

5 squares per child (e.g. made from card), 1 cm squared paper, rulers.
Printable tetrominoes and squared paper is available at: cgpbooks.co.uk/KS2-Maths-Investigations

33

Tetrominoes

Warm Up Questions

Accurately measure the length of each snake using a ruler.

E.g. A = 3 cm B = 6 cm C = 2 cm

D = 4 cm E = 8 cm

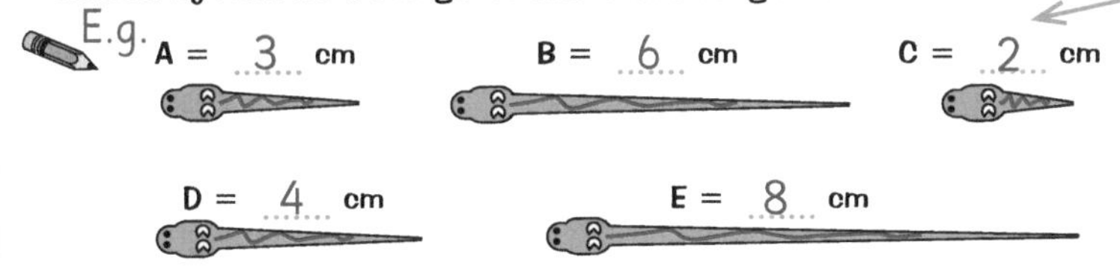

Calculate the total length of these pairs of snakes.

A + B = 9 cm A + D = 7 cm C + E = 10 cm

By adding the lengths of 2 snakes together, what is the shortest length you can make and the longest length?

Shortest = 5 cm Longest = 14 cm

1. You are going to arrange 4 squares by placing them edge to edge in different ways.
Here's one way that the squares could be arranged:

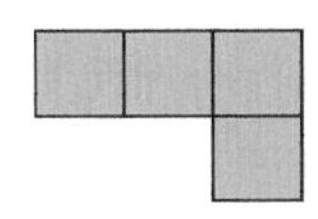

Each arrangement is called a tetromino.
Every time you find a new tetromino, draw it on the next page.

Section Four — Geometry and Measurement

Extra Support

Children may need to be reminded to start measuring at 0 on the ruler prior to starting this activity.
Pupils should also be reminded to be as accurate as possible in their measuring.

- The shortest length is made by adding the 2 cm and 3 cm lengths together.
- The longest length is made by adding the 6 cm and 8 cm lengths together.
- If pupils claim to have found different shortest and/or longest lengths, they should be encouraged to double-check that they have measured the lengths of the snakes as accurately as possible, starting from '0' on their rulers.

Children can complete this activity with a partner. This will give them the opportunity to discuss the different arrangements they can make.

Tetrominoes

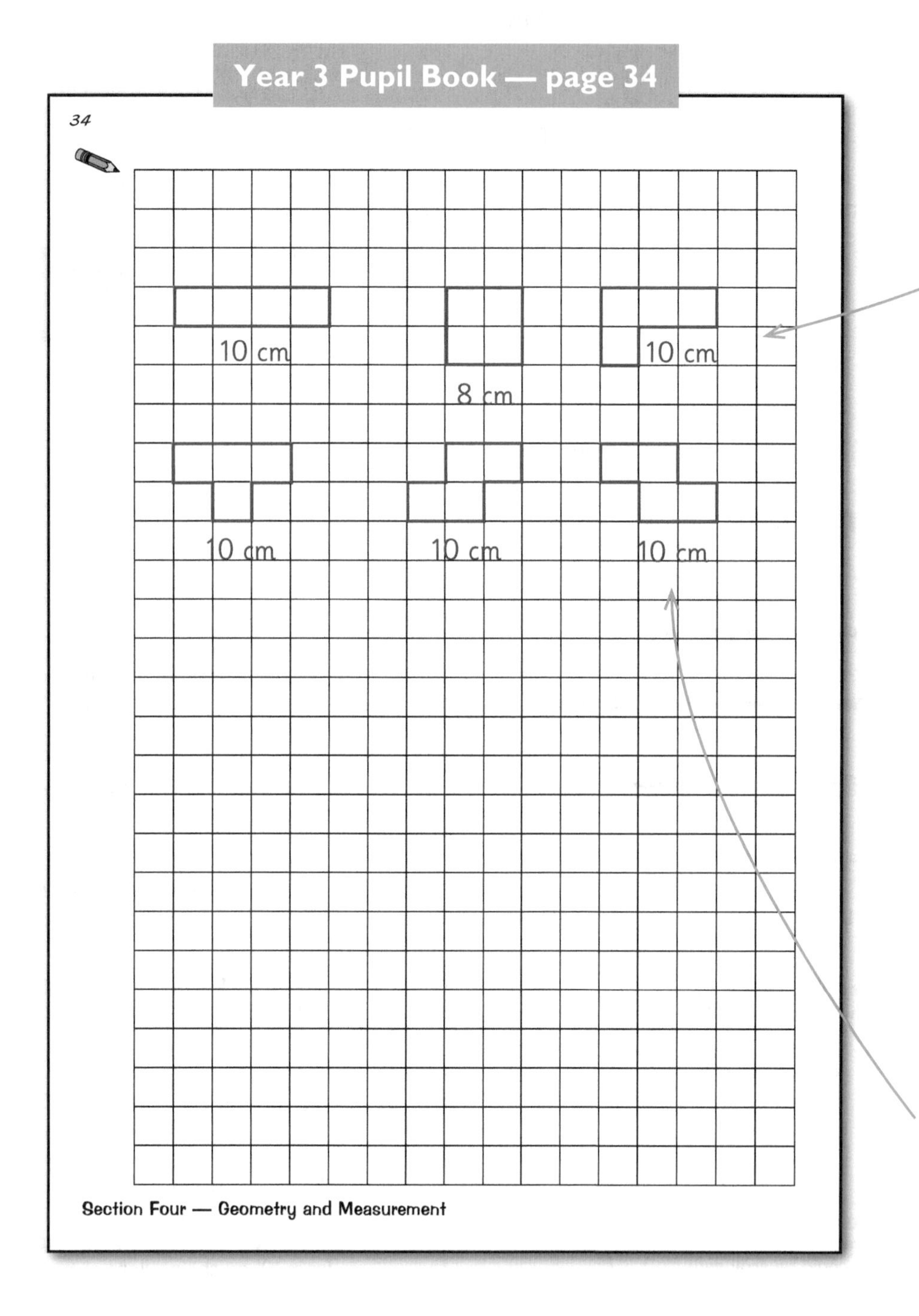

- To be sure that all the possible arrangements are found, it is best to be systematic. E.g. have a row of 3 squares, then attach the 4th square at different points.
- At this stage it is likely that children will include rotations of some shapes. The question on the next page may prompt them to rule out some of their shapes.
- Children should be encouraged to put a line through shapes they discard rather than rub them out. This shows their thought process, and they might find it useful to refer back to their discarded shapes.
- Children might also draw the tetromino that was featured on the previous page:

The lengths shown are the perimeters, which will be added to this page in question 4.

Tetrominoes

Year 3 Pupil Book — page 35

35

2 Discuss with your partner if these tetrominoes are the same or different.

Circle words in the sentence below to show what you think.
Give a reason why you think this.

I think these tetrominoes are (the same) / different .

Reason: E.g. If you cut the shapes out they will all fit exactly on top of each other.

- Children should realise that although the shapes don't look the same at first, they are the same but in different 'orientations'.
- If children struggle to see that these shapes are the same, get them to draw them on 1 cm squared paper and cut them out. They'll then be able to rotate them until they fit on top of each other exactly.
- It would also be useful to look at the reflection of this shape. If the shape and its reflection are cut out, they can't be rotated to fit on top of each other without one of the shapes being flipped over.

3 If you count pairs of shapes that are mirror images of each other as two different shapes, how many different tetrominoes did you find?

I found 6 different tetrominoes.

It might help to put a cross over any tetrominoes that are the same.

The answer 6 includes mirror images, but does not include the tetromino already shown in question. Children's answers may vary because of this .

Show your thinking

How can you be sure that you have found all of the tetrominoes?

E.g.

We drew the shapes in groups:

- 4 squares in a row
- 3 squares in a row and 1 square in all the different possible places
- 2 squares in a row and the other 2 squares in all the different possible places

- Children should be encouraged to look back at their tetrominoes and check that none are identical.
- Rotating their page may help them spot shapes that are just rotated copies of another shape.

Section Four — Geometry and Measurement

Tetrominoes

Year 3 Pupil Book — page 36

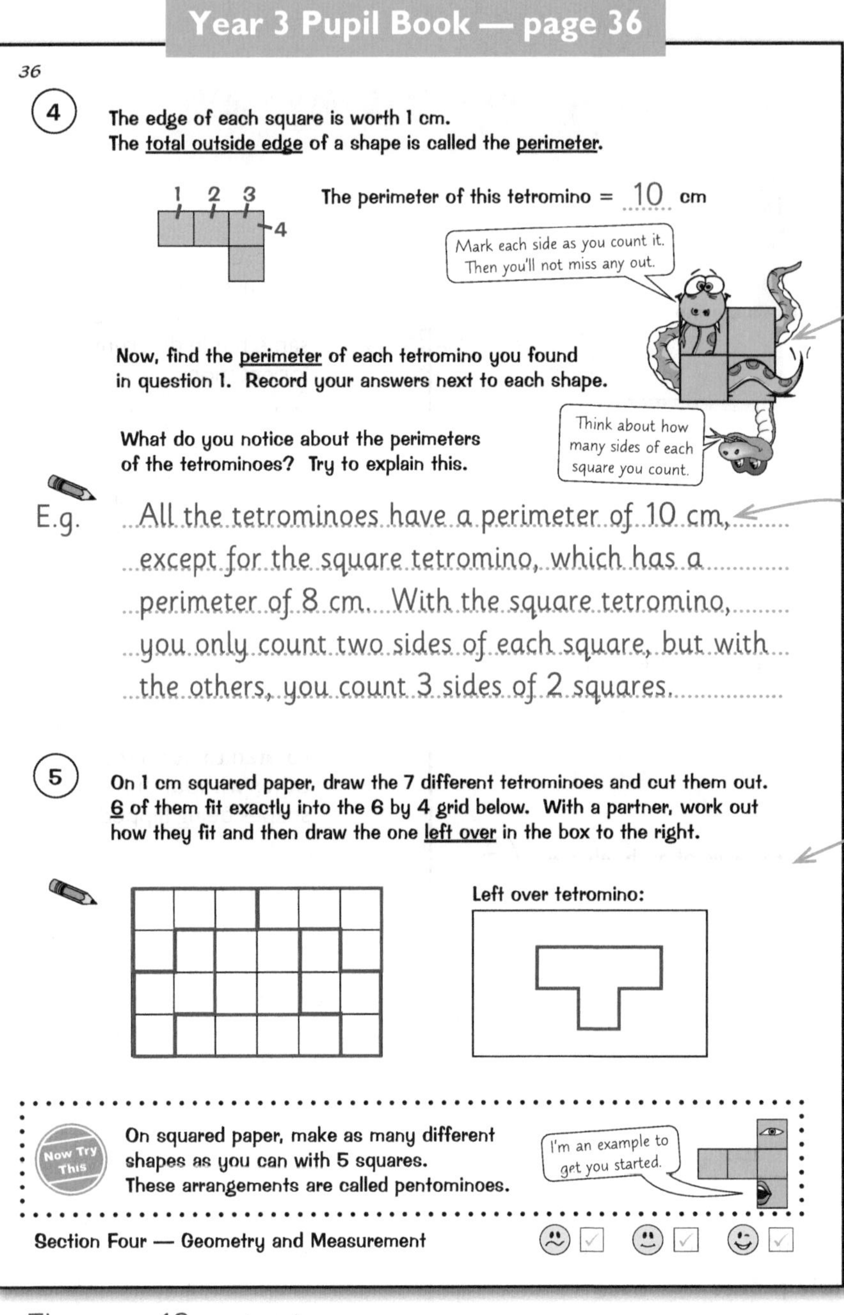

Extra Support

Some children may benefit from a printed copy of the tetrominoes if their work on page 34 is unclear. They may also benefit from encouragement on keeping their markings for each square clear and neat.

Another way of looking at this is to count the number of sides 'hidden' in the centre of each shape. There are 8 sides 'hidden' in the centre of the square tetromino, but only 6 sides 'hidden' in the other shapes.

Extra Support

Again, a printed sheet of tetrominoes might help some children.

Extra Challenge

- Children could group the pentominoes according to perimeter.
- They should be able to do this by categorising them according to the number of 'hidden' sides in each pentomino. There'll be two 'hidden' sides per join.

There are 18 pentominoes.

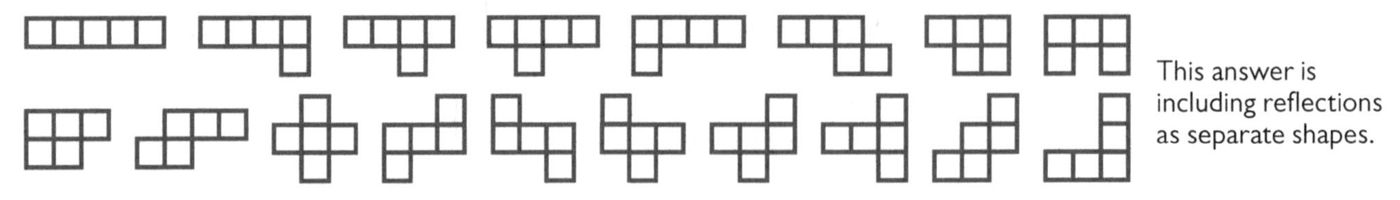

This answer is including reflections as separate shapes.

Showing Greater Depth

Children working at Greater Depth will be able to:

- (Q1) organise their tetrominoes in groups so that they can check for extra arrangements.
- (Q4) analyse the tetrominoes to identify why one of them has a different perimeter from the others. They should also be able to apply their reasoning to pentominoes and predict which will have the same perimeters.

3D Shapes

Children will use their knowledge of properties of shapes to name 3D shapes and order them. They'll experiment with 2D modelling materials to find nets of 3D shapes and name them. They will need to recall their prior learning about faces, edges and vertices.

Aims:

- Recognise 3D shapes in different orientations.
- Use properties to order shapes.
- Use knowledge of 2D shapes to create 3D shapes.
- Make 3D shapes using modelling materials.

Key Vocabulary:

'cube', 'cuboid', 'cylinder', 'prism', 'pyramid', 'sphere', 'faces', 'edges', 'vertices', 'net', 'orientation'

Resources Needed:

Clixi shapes (shapes that click together to form nets). If none are available, printable alternative tiles and versions of all the nets involved in this investigation are available at: cgpbooks.co.uk/KS2-Maths-Investigations

Year 3 Pupil Book — page 37

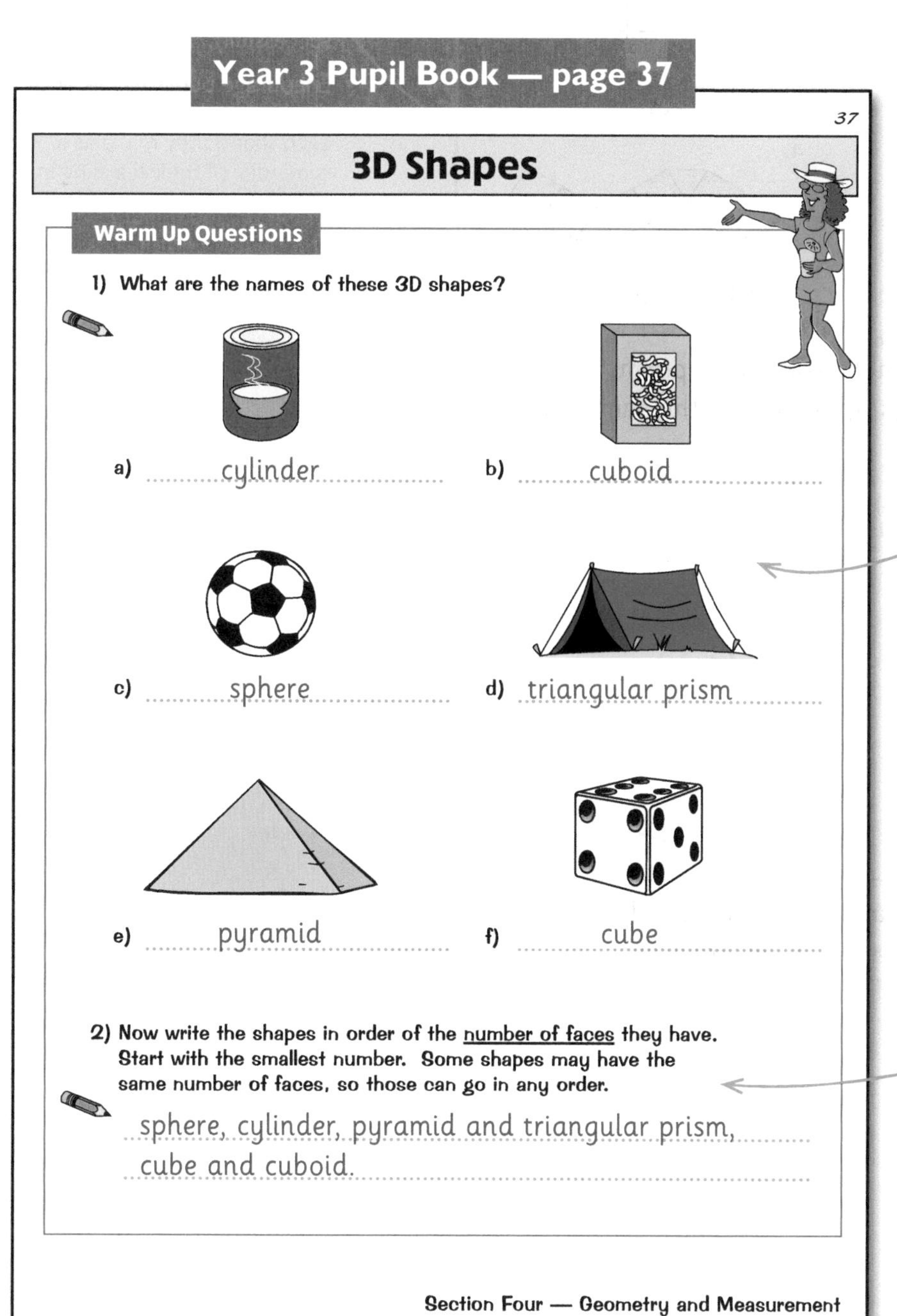

37

3D Shapes

Warm Up Questions

1) What are the names of these 3D shapes?

a) cylinder b) cuboid

c) sphere d) triangular prism

e) pyramid f) cube

2) Now write the shapes in order of the number of faces they have. Start with the smallest number. Some shapes may have the same number of faces, so those can go in any order.

sphere, cylinder, pyramid and triangular prism, cube and cuboid.

Section Four — Geometry and Measurement

- Children may call the cuboid a rectangular prism, which is also correct (a good teaching point is to explain the definition of a prism – with 2 identical faces opposite each other).
- They may identify the pyramid as square-based; if not, draw their attention to this and explain that there is another type of pyramid that we'll come across later in the investigation.

Draw children's attention to the difference between a curved surface and a flat surface.

3D Shapes

Year 3 Pupil Book — page 38

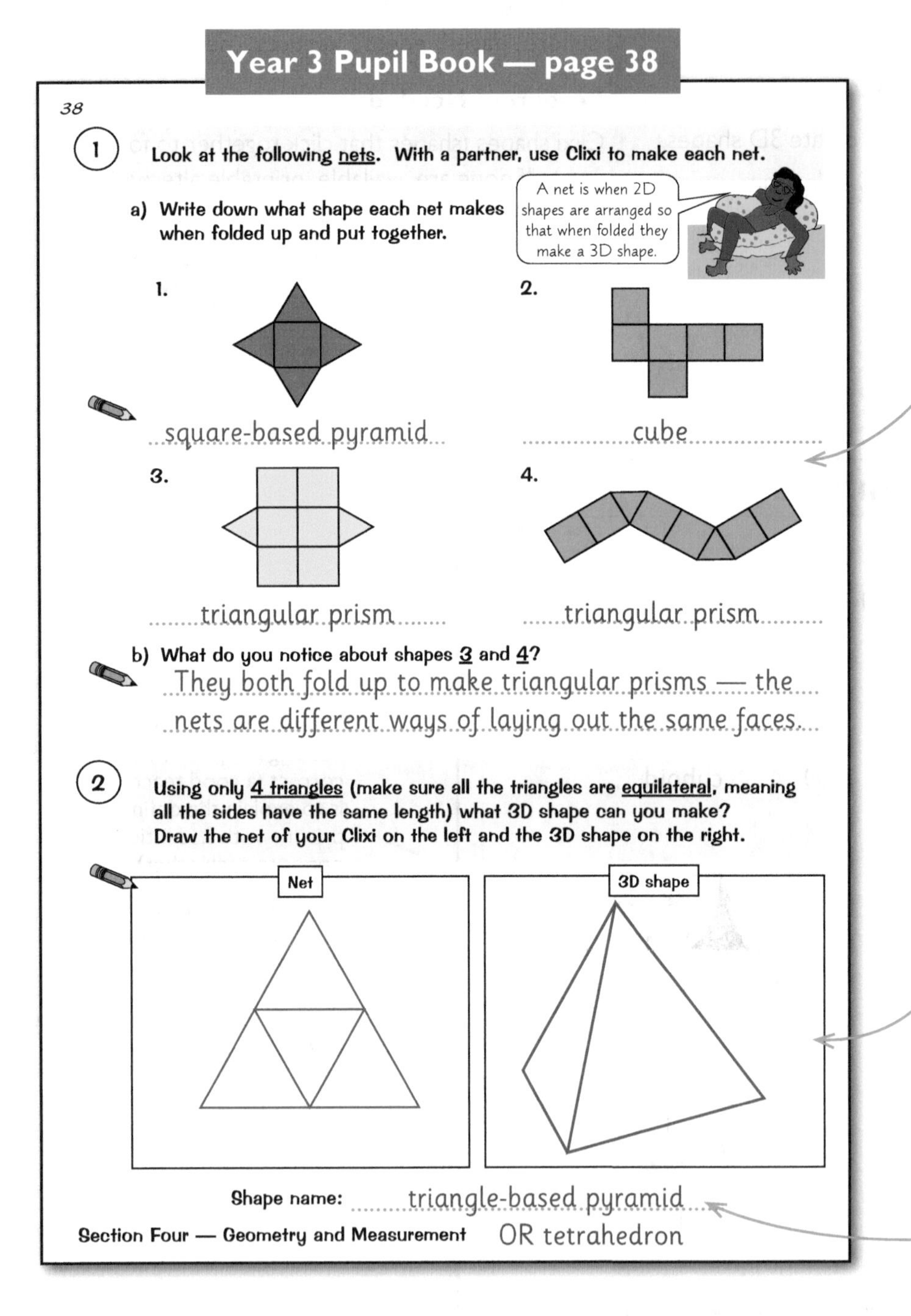

- It is important that the children use equilateral triangles to ensure the nets work successfully.
- Encourage pupils to talk about the faces, edges and vertices of each shape they make as a reminder of their learning in Year 2.

Extra Support

Children may struggle to draw the 3D image as they won't know what to do with the hidden faces. Demonstrate drawing a 3D shape, emphasising that you draw what you see.

This shape can also be called a triangular pyramid or a regular tetrahedron.

3D Shapes

This could first be done as a class, with the teacher picking one shape and exploring as a class how to make a net out of it. It could then be done in pairs or small groups for the other shapes.

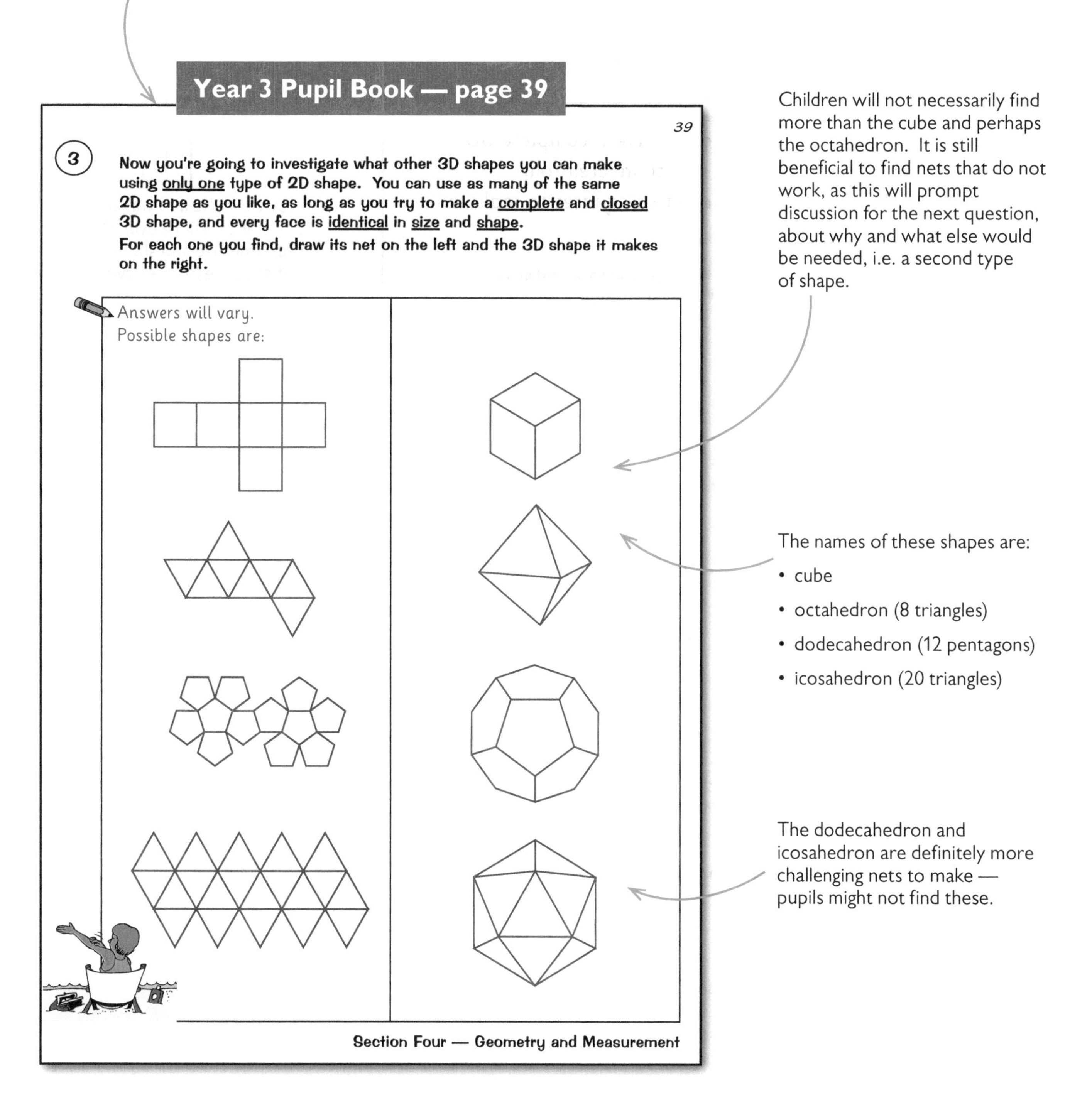

Children will not necessarily find more than the cube and perhaps the octahedron. It is still beneficial to find nets that do not work, as this will prompt discussion for the next question, about why and what else would be needed, i.e. a second type of shape.

The names of these shapes are:

- cube
- octahedron (8 triangles)
- dodecahedron (12 pentagons)
- icosahedron (20 triangles)

The dodecahedron and icosahedron are definitely more challenging nets to make — pupils might not find these.

3D Shapes

Year 3 Pupil Book — page 40

40

4 Name a 2D shape you couldn't create a net with to make a closed 3D shape with identical faces.

Answers will vary, e.g.
I couldn't create a closed 3D shape using rectangles.

Why do you think this shape didn't make a 3D shape?
Discuss with your partner, and write your ideas below.

You need another shape to make a complete 3D shape. For example, if you connected four rectangles, you'd still need two squares to make a cuboid.

Make a 3D shape that does use the shape you have written above at least once. Draw the net on the left, and the 3D shape on the right.

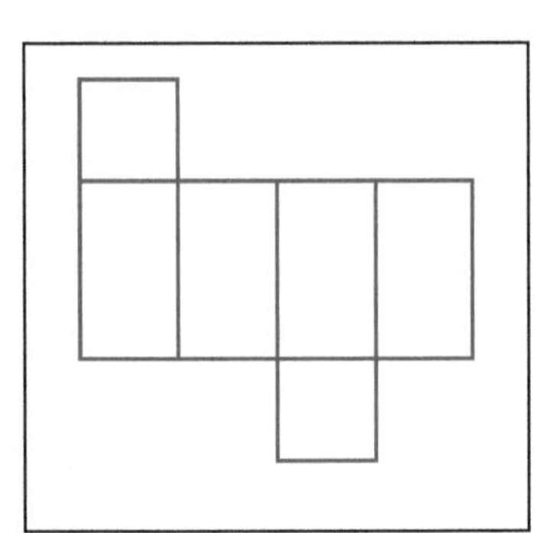

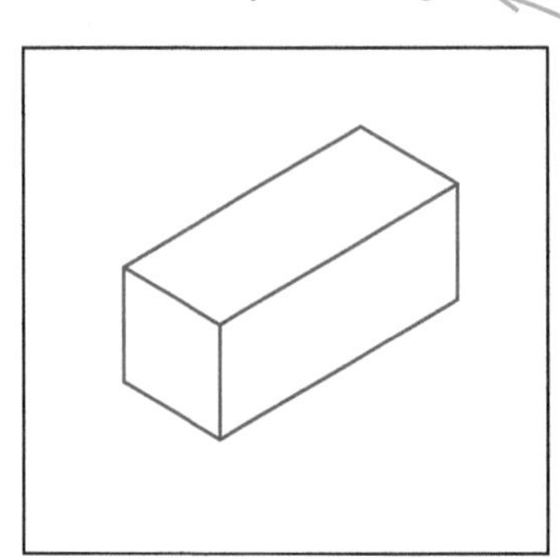

By using two different types of 2D shapes to make a net, what other 3D shapes can you make? Try this with different pairs of 2D shapes.

Section Four — Geometry and Measurement

It is also not possible to make a 3D shape exclusively using shapes with 6 or more sides.

If the rectangles used have a width that is exactly half the length, then the net below, for a square prism/cuboid, is possible.

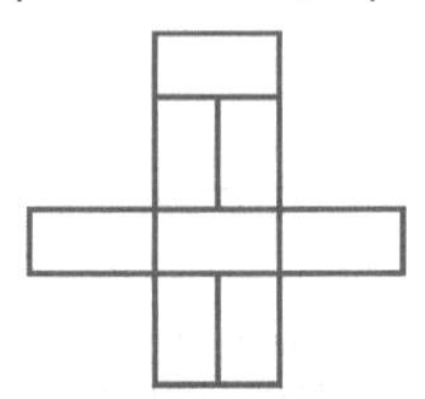

However, the aim was to create 3D shapes where every face is the same size and shape, which is not the case here — two of the faces are twice the size of the others.

Make sure pupils realise that they will need to use an additional 2D shape in their net in order to make a 3D shape.

- Here, children can visualise 3D shapes they know and 'undo' them to establish what 2D shapes are required for the corresponding net, e.g. a triangular prism needs 2 triangles and 3 rectangles.
- Alternatively, children can use the Clixi to experiment, using their knowledge of prisms, for example.

Extra Support

If children need help, they could be supplied with completed 3D shapes to pick up and explore. From these, they can see which 2D shapes it is made from, and have a go at constructing the 2D net themselves.

Showing Greater Depth

Children working at Greater Depth will be able to:

- (Q4) discuss why there are shapes that cannot make a net — they will need to hypothesise about what additional shapes are required to make the net successful.

Pictograms

Children will be reading information from a pictogram and answering questions that compare data in the pictogram. They'll then be collecting information using a tally chart and using it to construct simple pictograms of their own.

Aims:

- Interpret and present data using pictograms.
- Collect data and record clearly.
- Understand and use a tally chart.

Key Vocabulary:

'pictogram', 'data', 'tally chart'

Resources Needed:

Ruler, coloured pencils.

Year 3 Pupil Book — page 41

Section Five — Statistics 41

Pictograms

Warm Up Questions

Look at this pictogram.

Pictogram showing what children had for breakfast

	1	2	3	4	5	6	7	8
Porridge	●	●	●	●	●			
Toast	●	●	●	●	●	●	●	●
Cereal	●	●	●	●	●	●		
Crumpets	●	●	●	●				

Number of children

a) Which breakfast was the most popular?

Toast

b) How many people had cereal?

6

c) How many more children had toast than had crumpets?

4

d) How many children were asked altogether?

23

e) If each circle represented 2 children, how many children would have had porridge?

10

Section Five — Statistics

- This is a good opportunity to discuss what each picture or shape represents. In this case, each circle represents one person, but there are other pictograms where shapes or pictures can represent more than one.
- Other possible questions to be discussed include: "Instead of circles, what else could you use to represent each item?" and "What could we do with the pictogram if children had eaten many different things for breakfast that weren't one of these four options?" — a possible answer to the latter question being to put 'Other' as an option.

This answer assumes that no one was counted twice because they had more than one of the food items. It also assumes that no one was not counted due to skipping breakfast.

Pictograms

Limiting the number of children asked will ensure the pictogram is of a manageable size.

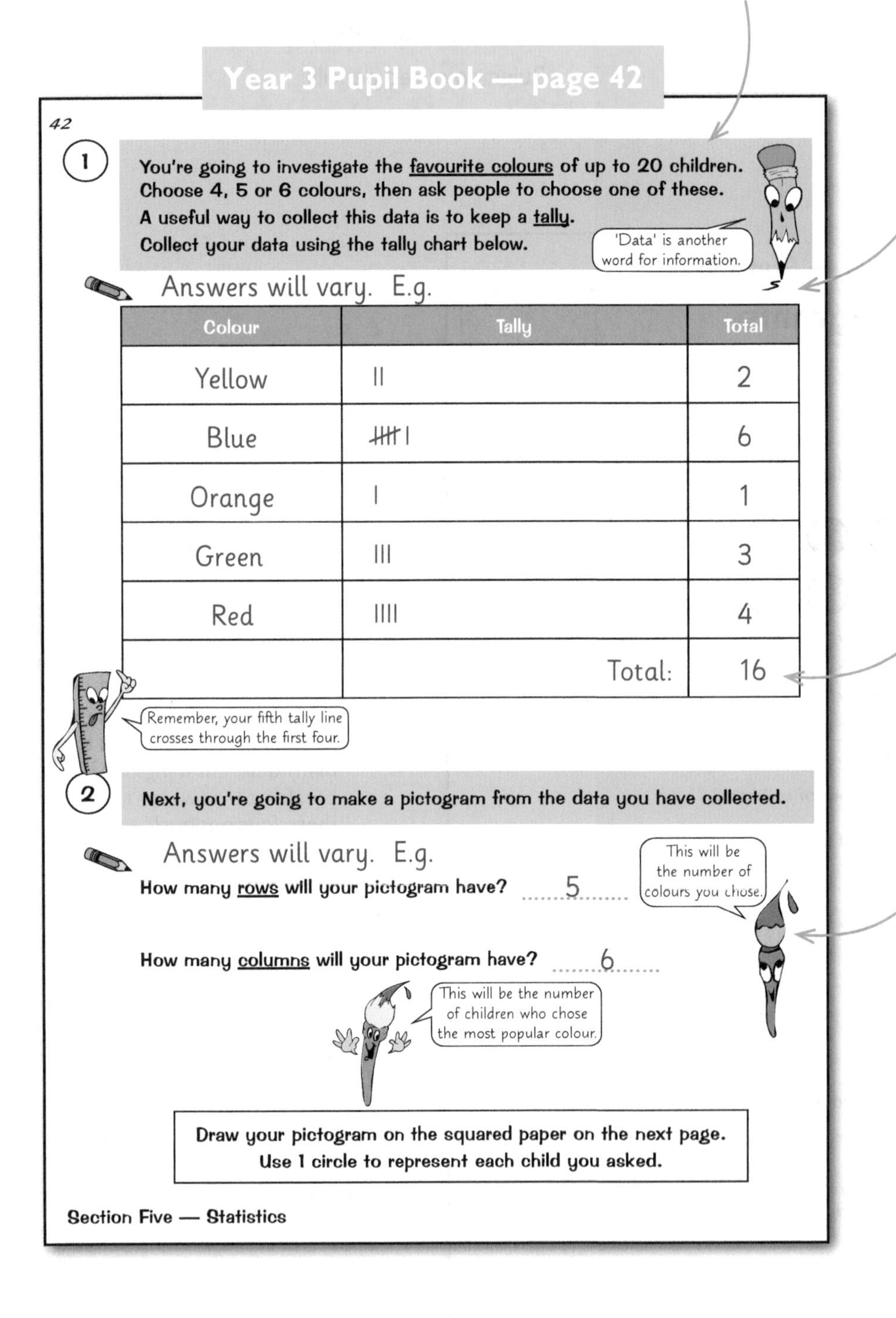

Year 3 Pupil Book — page 42

42

1. You're going to investigate the favourite colours of up to 20 children. Choose 4, 5 or 6 colours, then ask people to choose one of these. A useful way to collect this data is to keep a tally. Collect your data using the tally chart below.

'Data' is another word for information.

Answers will vary. E.g.

Colour	Tally	Total
Yellow	II	2
Blue	~~IIII~~ I	6
Orange	I	1
Green	III	3
Red	IIII	4
	Total:	16

Remember, your fifth tally line crosses through the first four.

2. Next, you're going to make a pictogram from the data you have collected.

Answers will vary. E.g.

How many rows will your pictogram have? 5

This will be the number of colours you chose.

How many columns will your pictogram have? 6

This will be the number of children who chose the most popular colour.

Draw your pictogram on the squared paper on the next page.
Use 1 circle to represent each child you asked.

Section Five — Statistics

Model how a tally chart works, e.g.

Colour	Tally	Total
Green	~~IIII~~ II	7

The sum of the totals should equal the number of children they've asked. Adding these up is a good habit for children to get into for future tally charts.

It may be necessary to remind children what rows and columns are.

Pictograms

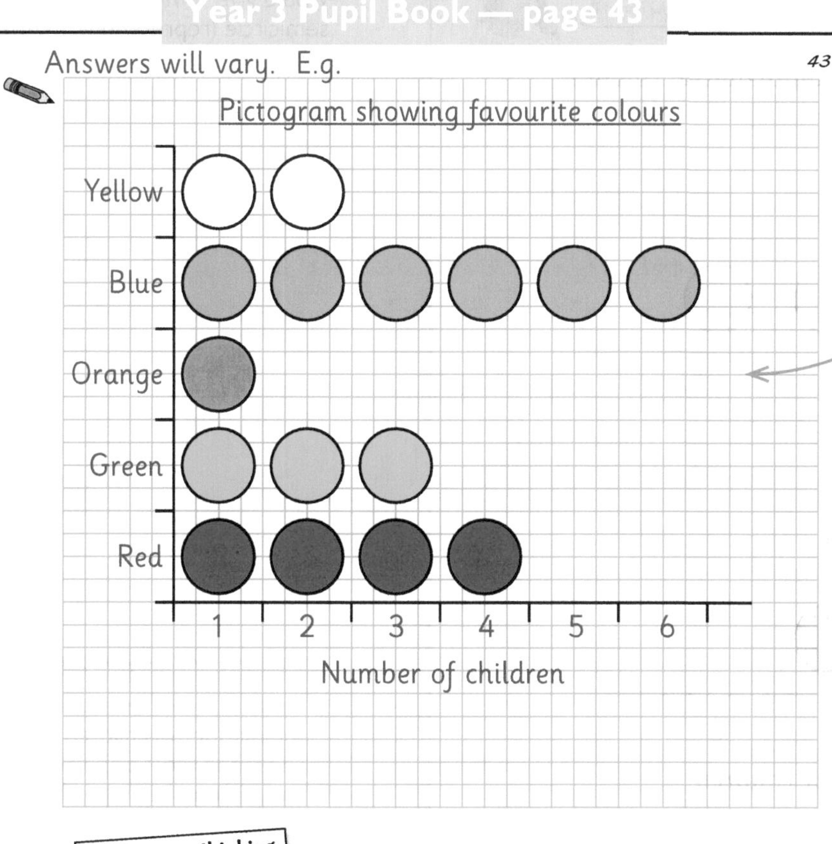

- Encourage children to use the example in the warm up as a model for making their own.
- A ruler should be used.
- Draw the axes first, making sure the spaces marked are even.
- Write the labels clearly.
- Draw the circles using the right colours.
- Label the axes.
- Give the pictogram a title.

Pictograms

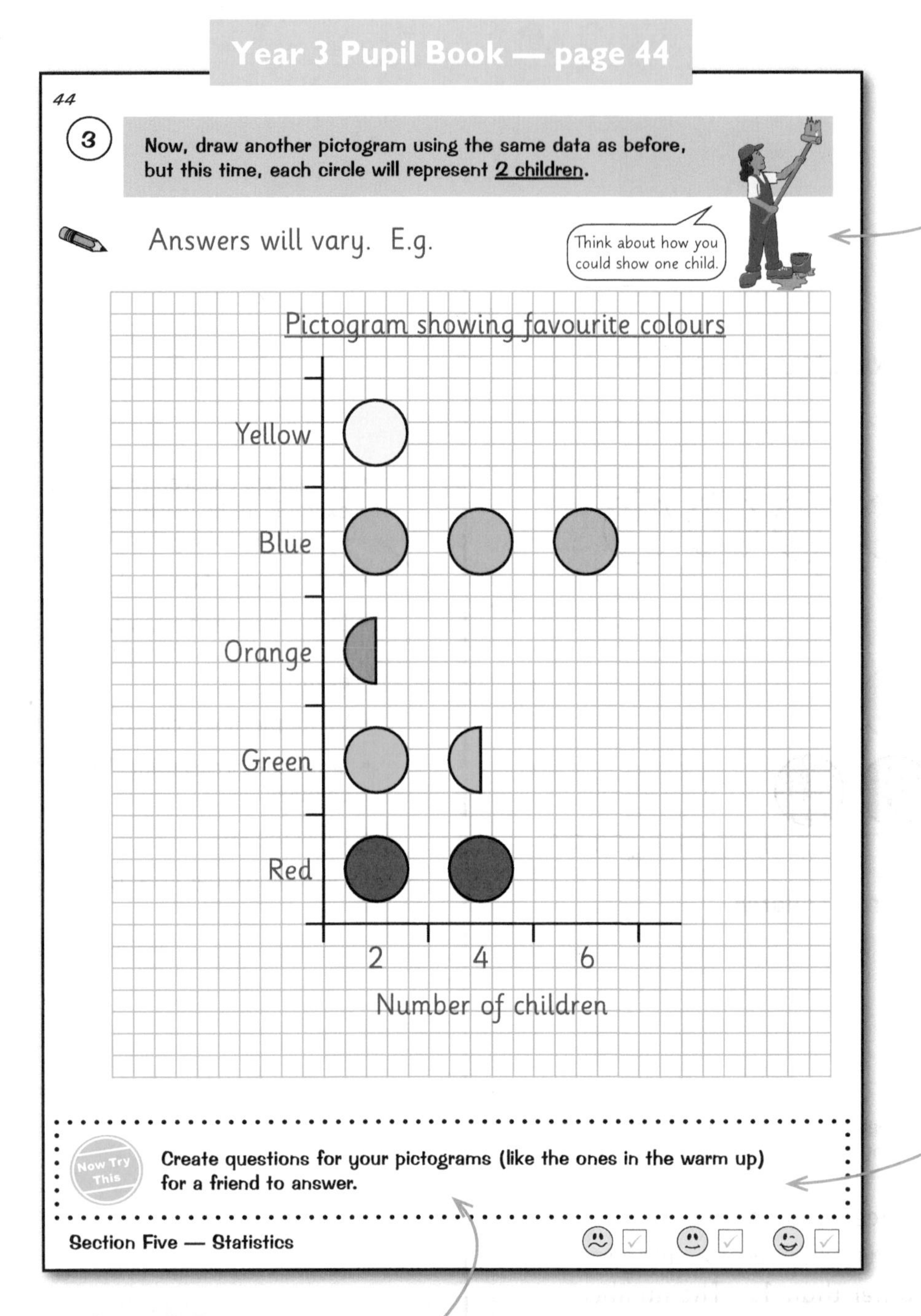

Discuss with children how you would show an odd number of children, e.g. 3 choosing green would give 1 whole circle and 1 semicircle (representing 1 child).

Questions will vary but could be:

- What is the difference between the number of children who chose the most popular colour and the number who chose the least popular colour?
- How many children in total chose blue or green?
- How many more children chose blue than red?
- What was the least popular colour?

Extra Support

Children struggling to come up with their own questions could be given prompts:

- "How many more...?"
- "What number preferred...?"

Showing Greater Depth

Children working at Greater Depth will be able to:

- (Q2 Show Your Thinking) think about how the pictogram will be different when you change the representation of each circle — this will get children thinking at a deeper level, recognising what will, and more importantly, what won't change.